Dominando
BDSM Estremo

Dominando Susan 3 Vol. 2

Erika Sanders

Dominando Susan 3
BDSM Estremo
(Dominazione Erotica)
Di
Erika Sanders
Serie
Dominando Susan 3 Vol. 2

Immagine di copertina: @ RaffTatee - Pixabay, 2024

Prima edizione: 2024

Sinossi

Susan raccoglie i cocci della sua vita e affronta il futuro con l'aiuto dei suoi amici...

BDSM Estremo (Dominazione Erotica) è un romanzo con un forte contenuto erotico BDSM e, a sua volta, un nuovo romanzo appartenente alla collezione Erotic Domination, una serie di romanzi con un alto contenuto BDSM romantico ed erotico.

È anche parte della serie, **Dominando Susan 3**, dove vengono raccontate le avventure di Susan, alter ego della scrittrice, nella sua sfaccettatura di sottomissione.

Nota sull'autrice:

Erika Sanders è una scrittrice di fama internazionale, tradotta in più di venti lingue, che firma i suoi scritti più erotici, lontani dalla sua solita prosa, con il suo cognome da nubile.

Indice:

DOMINANDO SUSAN 3
BDSM ESTREMO
(DOMINAZIONE EROTICA)
ERIKA SANDERS

"Stop" urlò Susan, e sentì il suono metallico del coltello che cadeva a terra attraverso la nebbia di panico nel suo cervello. Sire iniziò immediatamente a sciogliere le strette restrizioni che la tenevano alla sua mercé e prese la ragazza singhiozzante tra le sue braccia. La prese in braccio e andò a sedersi su un'enorme poltrona di pelle, cullandola come una bambina mentre si calmava.

Avevano trascorso gli ultimi giorni insieme spingendo oltre i suoi limiti ed elencando i suoi limiti, sia duri che deboli. Susan aveva cominciato ad accettare che nessun altro dominante l'avrebbe conosciuta così bene come Robert, che l'aveva conosciuta quasi tutta la sua vita. Si era anche resa conto che, nonostante il suo amore e la sua fiducia nei confronti dei due uomini che le facevano da tutori, quando ha accettato un contratto anche a breve termine come con Sire questa settimana aveva bisogno di conoscere ed essere in grado di esprimere i suoi limiti. Anche se Robert le aveva dato la scelta di restare con lui o no, aveva praticamente controllato tutto il resto della sua vita, e lei non aveva mai preso in considerazione l'idea di disobbedirgli, soprattutto perché lui aveva chiarito che non era davvero un'opzione.

Sire l'aveva spinta al massimo e Susan era esausta sia mentalmente che fisicamente fin dai primi tre giorni nelle cure di Sire. Scoprì nella sua stanchezza che, anche se si sentiva al sicuro tra le sue braccia mentre sedevano, e aveva perso la scarica di adrenalina che la sua paura aveva fatto scorrere nelle sue vene, non riusciva a smettere di piangere.

Sire era rimasto in silenzio mentre la teneva rendendosi conto di aver finalmente sfondato il muro della proprietà di Robert. Era stato duro e crudele negli ultimi giorni nel tentativo di farle capire che non ci sarebbe mai stato un altro Robert, che la conoscesse così bene e l'amasse così tanto da non dover esplorare i suoi gusti e le sue avversioni come avrebbero fatto altri. dovere. Ancora una volta maledisse silenziosamente Robert per non aver spiegato veramente questo aspetto dello stile di vita alla bellissima giovane donna. In verità, molte delle cose che le aveva fatto sopportare non erano nemmeno il suo particolare sapore di perversione, ma doveva sapere fino a che punto alcuni uomini sarebbero andati avanti lungo i sentieri più oscuri dell'eccesso e della violazione.

Alla fine, quando non uscirono più lacrime, guardò Sire con occhi scintillanti e disse piano: "Nessuno mi danneggerebbe davvero in modo irreparabile, vero ? Voglio dire," deglutì, "Perché qualcuno dovrebbe..."

"Per molti dominanti," disse Sire altrettanto gentilmente, "il brivido è tutto racchiuso in quello scambio di potere; più dai, più vogliono. Se non sei abbastanza coraggioso da stabilire dei limiti e usare una parola di sicurezza, potresti ritrovarti con danni permanenti non solo al tuo corpo, ma anche alla tua mente." Le sollevò il viso mentre le spiegava ancora una volta perché l'aveva spinta così forte a conoscere i propri limiti di resistenza. "Non ci sarà mai un altro Robert, che abbia avuto il tempo e la volontà di conoscerti così bene prima che diventassi suo. Gli altri dominanti che incontrerai in questo viaggio che hai insistito per intraprendere non sapranno nulla di te tranne quello che gli viene detto in brevi discussioni e la loro conoscenza di come fosse Robert." Lui sorrise quando vide il suo labbro intrappolarsi tra i denti mentre lei rimuginava su quello che stava dicendo. "Tutti nel club e anche i circoli esterni del nostro stile di vita sapevano che era un bastardo sadico e controllante e davano per scontato che avresti dovuto essere qualcosa di speciale per catturare il suo collare, non solo una schiava masochista comune..."

"Non ero una buona schiava per lui," Susan guardò l'uomo massiccio che la teneva così attentamente tra le sue braccia con gli occhi pieni di lacrime. "Ho fatto così tanti errori e sono scappato e..." la sua voce le si fermò in gola mentre il senso di colpa cresceva ancora una volta dentro di lei. Se non fosse stata così infantile, Robert non l'avrebbe mai portata in Italia. "Semplicemente non ero molto brava ad essere ciò che voleva," concluse tristemente mentre Sire rimaneva in silenzio. "Avevo solo bisogno di più tempo, avrei potuto essere migliore, volevo essere migliore, mi avrebbe insegnato tutte le cose che dovevo sapere, ora è solo..." alzò le spalle, e le lacrime tornarono.

Sire continuava a tenerla in silenzio, il suo senso di colpa e la rabbia che l'aveva preceduto quando l'aveva incontrata per la prima volta erano nelle fasi finali del lutto prima che lei trovasse l'accettazione e la speranza per il futuro, anche se poteva vedere quella speranza sbirciare di tanto in tanto come parlò dei suoi progetti dopo la settimana trascorsa in sua compagnia. Era stato sorpreso di scoprirlo nonostante conoscesse Robert per gran parte della sua vita; stavano insieme come coppia solo da un mese circa. Lo stupiva il fatto che lei provasse così tanto amore e devozione verso Robert e si meravigliava del suo desiderio di iniziare un percorso di ritorno allo stile di vita senza di lui. Tuttavia, dopo aver approfondito negli ultimi tre giorni le motivazioni della giovane donna, ora comprendeva il desiderio della ragazza ancora addolorata di provare di nuovo sentimenti e cercare di bloccare il vuoto oscuro che la sua assenza aveva creato nella sua vita.

"Posso ancora fare le cose che voleva," disse ancora una volta con calma, "Posso imparare di più e fare di più come aveva pianificato," fece un respiro profondo e si mise a sedere più dritta, "Posso ancora essere la ragazza che lui voleva per me." essere, con il tuo aiuto e quello degli altri," sorrise storta, "ho ancora la possibilità di renderlo fiero di me."

"Robert se n'è andato, Susan, devi farlo perché lo vuoi, non perché lo voleva Robert," a Sire non era piaciuto il modo in cui lei lo aveva detto, come se in qualche modo potesse tornare e reclamarla se lei lo avesse reso orgoglioso.

"Lo so, e voglio farlo per me, davvero. Lo voglio davvero tanto, ma mi piace pensare che lui continua a vegliare su di me in qualche modo e sarei felice che io stia ancora facendo quello che voleva che facessi." "Adesso è Padron Andrew," aggiunse, "Questo dimostrerà il mio orgoglio, me ne rendo conto, ma era vicino a Robert quanto me, se non più vicino, e in qualche modo mi sembra giusto," disse con un tono strano voce.

Sire annuì, ancora incerto sul suo stato d'animo e decise che una lunga chiacchierata con Andrew era per garantire la sicurezza della ragazza. Ammise che per la prima volta da molto tempo riteneva che prendere come sua una ragazza come Susan non sarebbe stato affatto difficile, anzi; potrebbe essere davvero molto divertente.

"Vai a farti una doccia e preparati, stiamo uscendo," le diede una pacca sul sedere e sorrise. Bisognava continuare a spingere e trovare i suoi limiti costantemente, ma poteva vedere i piccoli cambiamenti in lei ed era soddisfatto dei suoi progressi, nonostante i suoi dubbi sulle sue ultime parole. Sire la guardò entrare nella zona del bagno e andare dove i suoi vestiti erano appesi su un appendiabiti nel suo studio fotografico. Non c'era stato bisogno di vestiti negli ultimi giorni e mentre sceglieva diversi pezzi da farle indossare guardò alcune delle foto che aveva scattato e stampato di Susan negli ultimi giorni. Era un'adorabile piccola troia masochista e lui colse l'opportunità di portarla fuori e mostrarla come sua, anche se solo per un po'.

Il resto della settimana, decise, sarebbe stato impegnativo poiché avrebbe considerato come incorporare ciò che voleva che lei imparasse con alcune uscite sociali. Prima però, questo pomeriggio, come promesso, avrebbero partecipato a un tea party con Sarah e James.

*****

Susan era seduta in silenzio sul letto a scrivere sul diario che Sire le aveva chiesto di tenere mentre faceva la doccia e si cambiava indossando dei comodi jeans neri e una camicia abbottonata. Lo guardò con curiosità pensando che non l'aveva mai visto senza la sua tuta di pelle e le magliette nere. Le avevano dato un vestitino leggero da bambola da indossare e ancora una volta si chiese del cambio di ritmo e di dove stessero andando.

Vestendola ancora una volta con gli stivali e la giacca oversize che indossava quando erano partiti in bicicletta e avevano percorso la breve distanza fino a casa di James. Susan sorrise quando vide dov'erano e fu felice che Sire non avesse dimenticato la promessa che aveva fatto di venire a prendere il tè con Sara e James.

Sarah corse fuori di casa e si lanciò contro Susan prima ancora che i suoi piedi toccassero terra mentre Sire la sollevava dalla bicicletta. "Ho aspettato e aspettato tutto il giorno! Dove sei stato, zio Billy?" Alla fine Sara lasciò andare Susan e rivolse uno sguardo accigliato a Sire.

Sire alzò un sopracciglio verso Sara e controllò drammaticamente l'orologio. Sara rimproverata mise le mani dietro la schiena e con voce più tranquilla disse: "È solo che sono così eccitata perché, beh, la amo e basta", Sara cercò di spiegare perché era stata monello.

"Quello, capisco, è facile amare Susan," Sire si chinò, baciò la fronte di Sara e sorrise, "Dai, piccola, spero che tu abbia quei biscotti che mi piacciono!" Sara ridacchiò maliziosamente e, afferrando la mano di Susan, la trascinò di corsa in casa.

"Prima devi baciare papà e salutarlo, poi ho una sorpresa per te!" Sara sbottò eccitata. Susan si guardò alle spalle e sorrise essendo stata catturata dall'eccitazione infantile di Sara e la seguì attraverso lo studio dove James aspettò con aria rilassata e chiacchierando con Gregory. Susan non era davvero sorpresa; Gregory sembrava essere una figura costante nella sua vita dopo la morte di Robert, sembrava vegliare costantemente su di lei come faceva per le ragazze del club, Susan pensava che fosse solo un'estensione dei suoi doveri che svolgeva per Andrew e le parti interessate.

"Ma papà!" Sara piagnucolò vedendo James dargli una pacca sul grembo affinché Susan venisse a sedersi con lui.

"Sara, ne abbiamo parlato," disse James in tono lento e misurato.

"Sì papà, ma ho aspettato e aspettato," piagnucolò ma si voltò per lasciare la stanza imbronciata.

"Attento, inciampi in quel labbro inferiore se si abbassa ancora di più," ridacchiò Sire, prendendo in braccio Sara e coccolandola. "Vieni a prendermi un biscotto mentre Susan saluta come si deve," si allontanò dallo studio con lei.

Susan si lasciò prendere in grembo a James e coccolare prima di girarsi per salutare Gregory.

"Salve Sir Gregory, è una bella sorpresa," lei sorrise e lui ricambiò il sorriso con un'inclinazione appena percettibile delle labbra mentre inclinava la testa verso di lei.

"Ciao, piccolo. C'erano alcune cose decise in quella riunione delle parti interessate dopo che te ne sei andato, una di queste era che sarei venuto a controllarti di tanto in tanto e ad assicurarmi che fossi felice e in salute con il tuo lavoro e esplorazione", ha spiegato.

"Sono felice," Susan sorrise ad entrambi gli uomini, "Grazie per avermi supportato durante quell'incontro, significava così tanto."

"Hai chiesto aiuto, sarebbe poco gentiluomo ignorare la richiesta di una damigella in pericolo, non credi Gregory?" James ridacchiò.

"In effetti," concordò prontamente, "Ma alla fine dei conti è la tua vita e una tua decisione, Andrew e Alan sono i tuoi tutori e sono lì per consigliarti o intervenire se ti metti in pericolo, ma hai il diritto di decidere." l'ultima parola nella tua vita, e non sono sicuro che tu lo capisca appieno." La fronte di Gregory si aggrottò per la preoccupazione.

"Oh, buona schiena," salutò James Sire, che era entrato sgranocchiando un biscotto e si era seduto. "Questo riguarda anche te."

"Guarda, non sono interessato a tutta quella politica dei club e lo sai, è per questo che evito quel posto pretenzioso per la maggior parte del tempo," disse Sire con un tono che indicava che era già annoiato dalla conversazione.

"Va bene, ma a tutti gli altri Dominanti che accetteranno l'invito a lavorare con Susan verrà concesso un periodo di due settimane, pensavamo solo..." James sorrise.

"Va bene, ti ascolto adesso," tagliò corto Sire, "Ero preoccupato di rimandarla indietro così presto."

"C'è dell'altro," James alzò la mano in modo che Sire ascoltasse invece di parlare.

James ha delineato cosa era successo dopo l'incontro e il ruolo di Gregory nella vita di Susan adesso. Se entrambi fossero stati d'accordo, l'accordo avrebbe potuto estendersi di un'ulteriore settimana e Susan avrebbe richiesto che il suo telefono fosse sempre acceso o vicino a lei in modo che Gregory potesse effettuare il check-in in modo casuale e farle visita almeno una volta durante la settimana successiva.

"Conosci il mio lavoro?" Sire si rivolse a Gregory che annuì. In effetti c'era ben poco di William Wilder che Gregory non sapesse adesso, aveva studiato chi possedeva attualmente Susan.

"Mi piacerebbe fare un breve viaggio ora che abbiamo tempo, in alcuni dei posti migliori e scattare foto di Susan. Puoi chiamare e scoprire dove siamo in qualsiasi momento e decidere quando venire a trovarci da lì Va bene?" Lo ha formulato in modo tale che non fosse affatto una domanda.

"Possiamo negoziare, credo", disse anche Gregory con un tono da uomo che non sarebbe stato il tipo a piegarsi ai capricci di un altro. "La questione più importante qui però non è quello che vuoi tu. Susan non ha ancora accettato la proroga, e ho bisogno di sentirlo da lei." I due uomini si voltarono a guardare Susan, che era seduta a mordersi il labbro contemplando ciò che veniva detto.

Gregory era un uomo severo e intransigente che aveva grandi aspettative nei confronti di coloro che lo circondavano, la spaventava e la faceva sentire al sicuro in sua presenza. Si sentiva allo stesso modo per Sire, ma aveva anche visto il suo lato tenero negli ultimi tre giorni mentre si prendeva cura di lei dopo alcune scene particolarmente estenuanti. Alzò lo sguardo verso James che sembrava sempre così affettuoso, tenero e amorevole, ma ricordò quello che Andrew aveva detto sulla sua spietatezza con le persone che lo ostacolavano. Ognuno di loro si prendeva cura di lei in modi diversi, e lei sapeva che potevano e l'avrebbero protetta quando necessario, ma non erano Robert e non avrebbero preso queste decisioni per lei. Si rese conto allora che questo era ciò che aveva chiesto, il diritto di scegliere e prendere le proprie decisioni e loro stavano semplicemente facendo quello che voleva.

"Finché Gregory riesce a contattarmi se ho bisogno di usare una parola di sicurezza," sorrise a Sire, "penso che un viaggio potrebbe essere divertente."

"Bene," disse James, "Ora Sara ha ballato avanti e indietro davanti a quella porta per tutto il tempo, quindi vai e lascia che sia lei a mostrarti la sorpresa, e risolveremo la logistica tra Billy e Gregory." La aiutò ad alzarsi e le diede una pacca sul sedere mandandola per la sua strada.

"Era ora," disse Sara in modo drammatico e afferrò la mano di Susan mentre usciva dalla stanza.

La trascinò dietro di sé e alla fine la trascinò in una piccola sala da pranzo fuori dalla cucina. Susan fu a dir poco sorpresa, mentre rimase immobile a guardare le donne che considerava amiche. Chiuse la mascella e iniziò i saluti abbracciandoli ciascuno. Cinthia le strofinò il naso sulla guancia e la attirò ulteriormente nella stanza dove fu abbracciata sia da Samantha che da Shaky prima che Gian si facesse avanti e si presentasse adeguatamente. Anne si era trattenuta e vedendo ciò Susan si mosse verso di lei e l'abbracciò forte.

"Mi dispiace tanto, Anne, sono stata così terribile che non so cos'altro dire," disse piano Susan, "mi manchi terribilmente."

"Sono io che dovrei scusarmi, stupida, non avevo capito..." lasciò cadere quello che stava per dire. Ognuna delle ragazze presenti aveva solennemente promesso di non menzionare Robert a meno che Susan non lo avesse fatto dopo che Cinthia aveva spiegato che Susan sentiva come se tutti avessero bisogno di guarire se stessi attraverso di lei chiedendole di rivivere quel momento ancora e ancora. Invece, sorrise e la lasciò girare girando Susan verso il tavolo. Fu solo mentre stava per sedersi che vide Cassandra seduta all'altra estremità del tavolo e felice di vederla corse intorno e l'abbracciò forte.

"È così bello vederti!" esclamò Susan. "Tutti voi," si corresse guardandosi attorno. Non posso credere che siate tutti qui, visto che ultimamente sono stata così stronza.

"Non eravamo esattamente i più comprensivi tra gli amici," disse piano Anne.

"Prima vieni a sederti accanto a me," disse Shaky con entusiasmo, "Ho sempre i migliori pettegolezzi."

"Raccontami di quella ragazza che scappò con il principe del Medio Oriente, l'hanno mai trovata? Ho sentito dire che è diventata una puttana da motociclista," chiese Susan annuendo seriamente e le altre donne scoppiarono a ridere.

Sara era una padrona di casa perfetta; aveva preparato i dolcetti e le bevande preferiti di ciascuna ragazza e sebbene non fosse necessario all'interno di questo gruppo inseriva nuovi argomenti di conversazione ogni volta che rallentava leggermente. Ogni ragazza era entusiasta alla prospettiva di vedere di più Susan e Cassandra hanno suggerito di organizzare un incontro mensile a casa di ciascuna ragazza e si sono offerti di ospitare quella successiva.

Dopo mesi di isolamento autoimposto, era così bello far parte di un gruppo di amici che sapeva come rilassarsi e ridere della vita. Si sentiva meglio di quanto non si sentisse da molto tempo, e sapeva di dover ringraziare Cinthia, così quando la festa iniziò a sciogliersi andò da Cinthia e l'abbracciò.

"So che eri tu, grazie mille. Non sapevo come affrontare tutti dopo essere stata così egocentrica per così tanto tempo," disse Susan tranquillamente.

"Non ero io, tesoro," disse Cinthia con la sua voce ricca e profonda, "Andrew e Alan hanno organizzato tutto. A quanto pare avevi promesso a Sara che i suoi zii le avrebbero mandato una sorpresa, e noi lo siamo." Lei rise: "Anche se penso che sia stato un suggerimento di Anne per cominciare."

"Veramente!" Susan rimase sbalordita e si voltò per cercare Anne. "Grazie", ha esclamato, "Questo era proprio quello di cui avevo bisogno."

Anne sorrise a Susan, "Il minimo che potessi fare dopo, l'ultima volta che ti ho vista." Il senso di colpa le offuscò il viso per un momento prima che sorridesse di nuovo: "Sono semplicemente felice che ti abbiamo riavuta".

Il piccolo gruppo cominciò a sciogliersi, e Susan iniziò ad aiutare Sara con lo sgombero ma Sara la scacciò via, "Vai a parlare con papà, o sarà irritabile perché vi ho avuti tutti per me."

"Ma in realtà non l'hai fatto," iniziò a protestare Susan prendendo un altro piatto. Sara le prese il piatto dalle mani e la guardò seria.

"Non mi comporto spesso da adulta, ma solo per questa volta farò un'eccezione perché penso che tu abbia bisogno di sentirlo," deglutì e fece un respiro profondo. "Noi tutti amavamo moltissimo Robert prima che tu arrivassi. Ha aiutato moltissimo ciascuno di noi e i nostri Maestri, la maggior parte di noi diverse volte, in modi diversi e talvolta in situazioni disastrose, come Anne. Si poteva sempre contare su di lui per prendersi cura di lui." quelli a cui teneva. È quel legame che aveva con noi che ti ha attirato così velocemente nel nostro gruppo." Susan aveva iniziato a mordersi il labbro e il suo viso si era rannuvolato.

"È per questo che tutti noi ci preoccupiamo così tanto di quello che fai e perché vogliamo costantemente vedere che te la cavi." Vide il volto di Susan abbassarsi ulteriormente ma non cedette. "Quello che sto cercando di dirti non molto bene è che tu sei una di noi adesso, che ti piaccia o no, e ognuna di noi ragazze e i nostri Maestri sentiamo una certa responsabilità nei tuoi confronti, perché se fossimo stati noi, ed è stato nel passato, lo avrebbe fatto senza esitare e tu devi permettercelo, per il suo bene e per aiutare tutti gli altri a guarire proprio come stai cercando di fare. Era davvero un uomo compassionevole sotto quell'aspetto sadico e bastardo; lo sai, proprio come bene come me." Susan annuì con gli occhi scintillanti.

"Quindi ora che hai deciso di cosa hai bisogno per aiutarti finalmente a guarire, devi lasciare entrare il resto di noi e lasciarci guarire a modo nostro tenendoti vicino e ricordando l'uomo che ti ha amato lassù." tutti gli altri." Sara finalmente finì la sua conferenza e abbracciò Susan.

"Ora tocca a noi assicurarci che tu stia guarindo, vai a rassicurare papà e Gregory, si preoccupano troppo," sorrise, "Qualsiasi scimmia con mezzo cervello può vedere che stai ricominciando a vivere; dobbiamo solo procurati il tuo lieto fine." Lasciò Susan, "Col tempo, non ancora, avrai ancora un sacco di ranocchi da baciare sulla strada per trovare il principe azzurro. Anche se lo zio Billy è un ottimo inizio," ridacchiò.

*****

La mattina dopo, mentre sedeva ricevendo un pompino ben eseguito, Sire considerò la ragazza che sarebbe stata, a tutti gli effetti, sua per la settimana successiva. I suoi limiti avevano superato di gran lunga quello che si aspettava da una ragazza della sua statura. La prima notte e il giorno successivo l'aveva sottoposta a una miriade di vincoli, utensili, giocattoli e strumenti di cui la frusta sembrava essere l'unico con cui aveva avuto una parola quasi sicura.

Il secondo giorno l'aveva costretta a sopportare gli sport acquatici e l'aveva quasi costretta a scappare, ma lei aveva salvato se stessa e lui con parole sicure con suo grande sollievo. Tuttavia, le aveva fatto conoscere il clistere di acqua saponata e l'idea del bukkake, non la realtà e attraverso tutto ciò aveva proceduto a infantilizzarla a vari stadi ed età facendole altre due volte la parola di sicurezza. Più la faceva giovane, più limiti trovava e alla fine del secondo giorno era felice che lei avrebbe usato la sua parola di sicurezza se necessario.

Il terzo giorno aveva riguardato pratiche che se non trattate con il dovuto rispetto avrebbero potuto danneggiare permanentemente la sua mente e il suo corpo. Wax Play sembrava essere entro i suoi limiti anche se rasentava il morbido, quindi l'aveva amplificato un po'. La mattinata era stata per lo più trascorsa con aghi e uncini perforanti, pistole per tatuaggi e armi, ma lei aveva parlato in modo sicuro a ciascuno di essi con suo grande piacere.

Sorrise mentre la guardava, esibizionismo e umiliazione su scala più ampia, forse con più partner, sarebbero stati un test interessante dei suoi limiti e delle aspettative culturali e sociali dei suoi dominanti. Sorrise sapendo dove sarebbero andati durante il loro viaggio e nella sua mente pianificò il viaggio e il numero di giorni che ci sarebbero voluti. Avrebbe fatto sapere a Gregory prima di partire. Nonostante l'iniziale irta di personalità alfa, quell'uomo austero gli piaceva molto e poteva vedere che aveva a cuore solo gli interessi della ragazza e dei suoi amici. In molti modi, Gregory gli ricordava Robert, ma senza l'imponente reputazione che si adattava al personaggio.

Lui gemette mentre lei lo prendeva profondamente, ingoiando la testa del suo cazzo e godendosi con quanta facilità aveva imparato il suo stile preferito di succhiare il cazzo. La porta all'altra estremità del soppalco si aprì e si chiuse, facendo immobilizzare Susan nei suoi movimenti.

"Continua a succhiare," ringhiò Sire mettendole pesantemente la mano sulla testa prima di gridare, "Era ora che arrivassi, mettiti a casa, sto solo dando la colazione al nuovo bambino." Sire ridacchiò e Susan sentì una seconda voce che lo chiamava.

"Cazzo, vecchio mio, ti fermi mai?" disse la voce maschile e Susan sentì il pesante cadere degli stivali e lo squittio del suo corpo che affondava nella pelle di una sedia vicina.

"Non quando è così bello," Sire continuò a ridacchiare prima di gemere di nuovo mentre lo prendeva fino alle palle succhiandolo forte e profondamente. "Oh sì," le premette forte la testa, tenendola per lunghi secondi prima di tirarla su e venire rumorosamente, spruzzando nastri di sperma sulla sua lingua che lei obbedientemente ingoiò. Concedendole qualche istante per drenarlo e pulirlo mentre riprendeva il controllo, alla fine la trascinò sul divano con sé e la girò per incontrare la voce.

"Susan, questo è Pete, figlio mio," la presentò Sire.

"È un piacere conoscerti," disse Susan mascherando la sua sorpresa. Sapeva che Sire era molto più grande di lei, ma non si aspettava che avesse un figlio che sembrasse di mezza età. Pete, come suo padre, era alto e corpulento, con i capelli brizzolati e occhi acuti e intelligenti. Anche lui indossava una tuta da motociclista e Susan sorrise mentre lui la salutava a sua volta.

"Piacere di conoscerti anche tu, piccolo," si rivolse al padre, "non so come fai ad avere sempre quelle belle troie!"

"Solo fortunato, immagino. L'hai portato tu?" Sire sembrava di buon umore mentre spingeva Susan in grembo.

"Perché altrimenti sarei qui?" indicò la scatola accanto a lui. "Questo è per te, piccola, dai una sbirciatina mentre negozio il mio bonus con il vecchio," le sorrise. Con una spinta incoraggiante, Sire la aiutò ad alzarsi dalle ginocchia e lei si avvicinò al box.

"Wow! È fantastico", esclamò, tirando fuori la giacca di pelle dalla scatola e sollevandola. Un'immagine ricamata di Campanellino era sul retro della giacca provocandone l'eccitazione. Non era proprio Campanellino però, la fata aveva i capelli scuri e ondulati molto simili a quelli di Susan invece che biondi. Il nome Campanellino era leggermente curvato nella parte superiore dell'immagine, e il nome Susan era appeso con una curva altrettanto leggera nella parte inferiore. Era squisitamente dettagliato e lei lo guardò con stupore.

"Non possiamo mandarti in viaggio senza la tua giacca, vero?" Pete sorrise e si rivolse di nuovo a Sire, "Ora riguardo al mio bonus."

"Cosa vuoi?" chiese dubbioso Sire.

"Un lavoro alla testa come quello a cui ho appena assistito sembra giusto," sorrise.

"Certo perché no," alzò le spalle guardando Susan, dalla quale quasi si aspettava usasse la sua parola di sicurezza. Invece, rimase piacevolmente sorpreso quando lei passò con calma la giacca a Sire per ispezionarla e cadde in ginocchio davanti a Pete.

Pete si alzò con impazienza e abbassò i jeans togliendoli con un calcio. Susan sentì la bocca sollevarsi agli angoli in un mezzo sorriso mentre notava che il figlio era ben dotato quanto suo padre se non di più, e aprì leggermente le labbra sporgendosi in avanti per baciare la punta aspettandosi che si sedesse Ancora. Invece, rimase in piedi e le raccolse i capelli con una mano, sollevandoli dal viso e inclinandole leggermente la testa all'indietro.

"Tieni gli occhi puntati sui miei tutto il tempo, capito?" disse bruscamente.

Lei annuì leggermente nella stretta salda che lui aveva sui suoi capelli e mormorò piano: "Sì, signore."

"Brava ragazza," le mise la punta del cazzo tra le labbra e cominciò a muoversi dentro e fuori riempiendole lentamente la bocca mentre lei lo guardava. Susan si rese conto che si trattava di un uomo a cui piaceva il controllo completo e si abbandonava volentieri ai suoi desideri mentre chiudeva le labbra in un anello stretto attorno al suo cazzo. Lui inarcò i fianchi spingendola ulteriormente e facendola vomitare leggermente, lei notò un lieve sorriso che toccava i suoi occhi mentre lo guardava. "Apri," le ordinò e lei lasciò cadere la mascella spalancando la bocca per lui mentre lui le penetrava profondamente nella gola facendola vomitare ancora una volta.

"Questa volta hai una piccola troia obbediente," disse a Sire.

"Sono un uomo fortunato," Sire sorrise di rimando godendosi guardando Susan prendere il cazzo di qualcun altro e sentendo la propria eccitazione cominciare a crescere di nuovo.

Susan cominciò a sbavare mentre si rilassava e deglutiva attorno al grosso cazzo che le colpiva la gola. I suoi occhi iniziarono ad annebbiarsi e lacrimare, ma non si sforzò di resistere alla posizione in cui lui la teneva mentre le scopava la faccia; invece fissò gli occhi nei suoi mentre si asciugava una lacrima sulla guancia. Questo sembrò eccitarlo ancora di più, e lui le tirò indietro la testa per i capelli e facendo un passo avanti abbassò leggermente la sacca cranica nella sua bocca spalancata.

Sbattendo la lingua e succhiando al meglio la pelle di ciottoli, nella sua posizione poteva fare respiri profondi attraverso il naso sapendo che era solo una piccola tregua. Poteva sentire la propria eccitazione crescere e l'umidità della sua fica iniziare a fluire verso le sue cosce. Alla fine la sacca venne tirata via e il cazzo le tornò in bocca con più forza, Pete le tenne la testa quasi per le orecchie e cominciò a scopare sul serio, incurante, a quanto pare, della sua mancanza di respiro ma assicurandosi di tanto in tanto di non penetrarle la gola mentre aspirava l'aria attraverso il naso.

Pete era perso negli occhi pieni di lacrime di Susan mentre la scopava impressionato dalla troia ai suoi piedi e dalla sua volontà di essere usata in quel modo. Si arrese al potere che lei gli dava e sentì il piacere che lei offriva al suo cazzo gemendo profondamente prima di tirarlo fuori e spruzzarle sperma sulle labbra e sulla lingua per poi spingerlo di nuovo nella sua bocca calda e bagnata. Finalmente sazio si accasciò sulla sedia.

Susan era così ardente e bisognosa di liberarsi quando venne lasciata cadere dalle mani di Pete; lei lo guardò con le lacrime agli occhi e disse tranquillamente: "Grazie, signore". Aspettando che lui la riconoscesse con un brusco cenno del capo, si voltò e strisciò di nuovo verso Sire inginocchiandosi davanti a lui. La guardò dall'alto in silenzio sperando che gli chiedesse ciò di cui aveva bisogno. "Per favore, Sire," sussurrò, "Vaffanculo, Sire, ho bisogno di venire, per favore."

"Non ho bisogno di scoparti per farti venire," ringhiò e si sporse in avanti pizzicando un capezzolo in ciascuna mano e torcendoli finché lei non piagnucolò forte. "Ma visto che l'hai chiesto così gentilmente," aprì il baule accanto a lui e volendo mostrare a Pete cosa poteva sopportare, tirò fuori il set a tre morsetti osservando Susan notarlo e immediatamente allargò le gambe e allacciò le dita dietro di sé testa in una posa da esposizione.

Alzò lo sguardo e Pete annuì con apprezzamento. Susan ansimava pesantemente e piagnucolava rumorosamente quando, finalmente soddisfatta dal posizionamento delle pinze, la prese in braccio e la posò con le mani e le ginocchia sul tavolino basso. Stando dietro di lei, lui la penetrò violentemente facendo oscillare i morsetti e Susan gridò sia di dolore che di piacere. Lui si allontanò lentamente da lei e poi si sbatté di nuovo ringhiando: "È questo ciò di cui hai bisogno, piccola troia?" la colpì con forza.

"Sì. Oh sì, per favore, vaffanculo Sire," gridò sapendo che questo lo avrebbe spinto a usarla più duramente. A Sire piaceva che chiedesse l'elemosina; il suo bisogno, e Susan sapeva che implorare ciò che voleva con parole sporche le avrebbe procurato ciò di cui aveva bisogno e altro ancora. "Ho bisogno di essere scopato da un grosso cazzo come il tuo; sono una tale troia affamata di cazzi." Fece una smorfia per il dolore delle pinze e per le parole che le uscivano dalla bocca.

"Fottuta puttana affamata di cazzi, succhia di nuovo il cazzo di Pete e rendilo duro così che possa scopare anche te, fottuta troia," la voce di Sire era piena di ringhio di disprezzo mentre sbatteva contro di lei. Le parole penetrarono a malapena nella sua mente prima che Pete fosse in piedi davanti a lei con un cazzo mezzo duro. Lui le afferrò i capelli e guidò la sua bocca verso il suo cazzo mentre Sire continuava a sbatterla dentro. I suoi piagnucolii si trasformarono in gorgoglii mentre il suo cazzo cresceva rapidamente nella sua bocca, la testa e il corpo si muovevano sotto il battito di Sire mentre Pete rimaneva immobile a guardare il viso della ragazza.

"Preparati, troia," ringhiò Sire mentre si chinava sul suo corpo e tirava la catena facendola strillare attorno al cazzo che aveva in bocca. Quando la pinza si staccò dal clitoride urlò e Pete le penetrò in gola assaporando le vibrazioni che il dolore dava alla sua voce. Susan alzò gli occhi al cielo e sussultò spasmodicamente mentre si frapponeva tra i due uomini. Gli uomini continuarono a scoparla duramente mentre lei continuava a venire dandole un po' di tregua mentre Sire le toglieva le pinze dai capezzoli facendola urlare di nuovo attorno al cazzo in gola.

Susan fluttuò su una nuvola di dolore e piacere perdendo la cognizione di se stessa e del tempo finché finalmente si ritrovò rannicchiata sul divano ancora ansimando pesantemente mentre Sire le accarezzava i capelli e le offriva dell'acqua. La baciò sulla fronte: "Resta qui finché non ti senti pronta per una doccia, hai fatto molto bene, piccola." Susan chiuse gli occhi e si stirò sentendo i suoi muscoli allentarsi, e si voltò a guardare Sire mentre parlava a bassa voce con Pete.

*****

Viaggiarono verso sud attraverso l'entroterra montuoso e quando lasciarono l'autostrada per prendere un percorso che Susan conosceva fin troppo bene, si irrigidì sul retro della bicicletta, i suoi muscoli si tesero mentre stringeva la presa su Sire. Sentì la sua voce attraverso l'auricolare nel suo casco.

"Cosa c'è che non va?" La voce di Sire era preoccupata.

"Questa è la strada per casa dei miei genitori e di Robert," disse lentamente e deliberatamente.

"Non penso che tu debba preoccuparti, dove siamo diretti non ci sono le strade principali," lui ridacchiò e la sentì rilassarsi leggermente. Susan non disse nulla, pensando all'ultima volta che aveva visto i suoi genitori con Gregory e a tutto quello che era successo da allora.

"Era passata solo una settimana?" Si chiese. Sembrava passato molto tempo da quando aveva preso la decisione di tornare nel mondo di Robert e aveva creato un vortice nella sua vita che la trovava ora seduta sul retro di una motocicletta che percorreva le strade di montagna che sapeva avrebbe potuto portarla a casa se avesse scelto. . C'era un po' di conforto nel fatto che, nonostante le sue paure iniziali, se avesse avuto bisogno di scappare, scappare... Susan si morse il labbro sapeva che non sarebbe scappata e in effetti sentiva che non poteva, questo era esattamente quello che aveva ha chiesto per. Robert l'aveva presa e messa nelle situazioni e nei posti in cui voleva che fosse, questo era completamente diverso e lei doveva fermarsi e ricordare a se stessa che quella era tutta una sua scelta, poteva dire di no; poteva usare la sua parola di sicurezza; poteva rinunciare in qualsiasi momento, senza bisogno di scappare o scappare.

Robert l'aveva amata e l'avrebbe sempre seguita; sapeva, anche se in quel momento non consapevolmente, che non l'avrebbe lasciata andare. Quest'uomo, d'altro canto, non provava alcun sentimento nei suoi confronti. Si prendeva cura di lei, lo sapeva, ma non aveva niente a che vedere con il legame onnicomprensivo che Robert aveva imposto su di lei. Si chiese se fosse vero che esisteva sempre e solo un'anima gemella per un'altra e che la sua era ormai perduta in questo mondo. Sentì la tristezza di quel pensiero travolgerla e appoggiò la testa contro la schiena di Sire mentre cavalcavano, persi nei suoi pensieri.

Fedeli alla sua parola, erano rimasti lontani dalle strade principali, visitando alcune gloriose meraviglie naturali e pernottando in piccoli bed and breakfast. Ha trattato ogni luogo come un'opportunità per un servizio fotografico, vestendola o spogliandola più spesso prima di legarla in varie pose con una corda ruvida e strisce sfilacciate di materiale usurato. All'inizio era imbarazzata e preoccupata che potessero essere scoperte, ma col passare del tempo e lui ha usato il suo corpo squisitamente per piacere e per fare la modella, lei si è rilassata e ha apprezzato il processo creativo con lui.

Per due volte, nel tempo in cui erano stati in viaggio, un jogger o un camminatore nel bush li vide e li osservò da lontano. In quelle occasioni, Sire non era così sadico come avrebbe potuto altrimenti permettere al voyeur di sentirla implorare di più mentre la usava duramente.

Dopo un lungo viaggio di diversi giorni, si fermarono davanti a un bar dall'aspetto squallido, la musica ad alto volume cantava dalle finestre aperte insieme a voci forti e risate. La curiosità di Susan fu destata quando Sire scese dalla bicicletta permettendole di guardare attentamente il bar. Era una casa indipendente di assi che sembrava essere stata trasformata qualche tempo prima in una specie di club piuttosto che in un bar. Sire la fece scendere dalla bici e la mise in piedi prima di aiutarla a togliersi il casco e la giacca. Guardandosi intorno, rimase stupita dalla quantità di biciclette parcheggiate intorno al club.

Tremò mentre l'aria notturna si arricciava attorno al top bianco trasparente e flirtava con le ampie pieghe della gonna di pelle che indossava. I suoi capezzoli erano già tenuti eretti dai polsini che li adornavano, ma sembravano incresparsi di più e premere contro il tessuto della camicetta mentre lui esaminava i suoi capelli che erano stati raccolti in due trecce che le pendevano sulle spalle.

La sua mano scivolò sul suo seno e poi intorno e lungo la schiena, infine si arricciò sotto la gonna per accarezzarle il sedere facendole accelerare il respiro mentre si alzava e accettava le sue carezze con un piccolo sorriso. Lui si abbassò per baciarle la fronte e ricambiò il sorriso.

"Sei così adorabile e sexy stasera che potrei scoparti proprio qui e ora," le sussurrò all'orecchio prima di raddrizzarsi, prenderle la mano e dirigersi verso l'ingresso dell'edificio. "Stai sempre accanto a me, hai capito?" chiese all'improvviso Sire.

"Sì, Sire," rispose velocemente Susan sapendo che non c'era bisogno di chiederlo. I suoi occhi si spalancarono vedendo i due enormi motociclisti in piedi all'ingresso.

"Cazzo, Wildman, sono secoli che non porti dentro una troia e quando lo fai, lei è in prigione. Ha un documento d'identità?" uno degli uomini enormi guardò attentamente Susan. "Non sembra che abbia ancora finito i pannolini! Per non parlare di come sia in grado di gestire questo posto."

"Lei è più vecchia della vostra mocciosa," prese dalla tasca la carta d'identità di Susan e la mostrò loro.

"Beh, fanculo a me," rise e si sporse in avanti scontrandosi con Wildman.

"Ora sarebbe un buon momento per usare la tua parola di sicurezza e rifiutare la sua richiesta," ridacchiò Sire rivolto a Susan.

"Stop" Lei squittì mentre ridacchiava, e lo stoico secondo uomo che non si era mosso né aveva detto nulla scoppiò a ridere.

"Questo non ha prezzo, Wildman. Farai fatica a tenerla lì dentro se tutto quello che dice è così carino," continuò la sua risata profonda e rimbombante.

"Allora pensi che dire loro che si chiama Tinker Susan sia troppo?" Disse Sire con un sorrisetto facendo ridere ancora di più l'uomo mentre annuiva.

"Conosci le regole di Wildman, nessun tatuaggio, nessuna voce e non riesco nemmeno a vederne uno falso disegnato sul suo corpicino caldo," Il primo uomo continuò a osservare Susan da vicino mettendola a disagio.

Prima che si rendesse conto di cosa stava succedendo, Sire l'aveva afferrata per la vita e sollevata, girandola facilmente sottosopra in modo che la sua gonna cadesse ed esponesse la sua fica alla loro vista. "Vedi quei signori? Non c'è bisogno di falsificare, è molto reale," Sire parlò con orgoglio e Susan poté sentire le dita di qualcuno tracciare l'intricato disegno dell'RM che era stato il soprannome di Robert, realizzando in un'esplosione di chiarezza che capovolto poteva essere facilmente confuso. per WW, William Wilder, alias Wildman. "Ora togliti di mezzo, idiota, prima che ti dia un grosso naso rosso da clown per adattarlo al tuo atteggiamento."

Il secondo uomo scoppiò di nuovo in una sonora risata, e Sire portò Susan nel bar. Il soggiorno la sorprese; si sentiva come se fosse entrata al Club Med. Un'atmosfera tropicale permeava il posto; alcuni uomini e donne erano in piedi o seduti a bere e giocare a biliardo, il bar era gestito da donne in topless che indossavano ghirlande e fiori tra i capelli, anche se avrebbero potuto essere nudi per quanto ne sapeva Susan dato che non riusciva a vedere oltre la loro vita.

"Vado a prendere una birra e poi ti faccio fare un giro," le tuonò Sire all'orecchio e la condusse al bar aiutandola a salire su un alto sgabello. Chiamare il suo nome e le persone che si avvicinavano resero Susan più che consapevole che Sire era un uomo popolare e molto rispettato tra quella gente. Perse traccia dei nomi che le erano stati dati quando le furono presentati e pregò di poter farla franca chiamandoli Signore o Signora se i loro nomi non le tornavano in mente quando ne avesse avuto bisogno di nuovo.

"Questo," disse Sire aiutandola a scendere dallo sgabello e prendendole la mano, "è il bancone anteriore." La condusse verso il retro della stanza e attraverso un'altra porta, "E questo è il bar sul retro," sorrise mentre lei si guardava intorno. C'erano diversi schermi televisivi incastonati nelle pareti attorno ai quali erano disposti circolari divani e tavolini bassi. Una donna in topless stava vicino alla porta offrendo asciugamani a chi li voleva. Spingendola ulteriormente nella stanza si assicurò che avesse una buona visuale dell'azione che stava accadendo in diverse aree della stanza.

Su un divano, una bionda magra era in ginocchio con la testa appoggiata sul bracciolo mentre guardava un video porno di una ragazza che veniva scopata da due uomini contemporaneamente. Mentre si inginocchiava, un'altra donna giaceva sulla schiena tra le sue gambe e le mangiava la fica mentre a sua volta veniva scopata da un uomo con la barba che gli arrivava fino al petto. Sembravano ignari del resto della stanza e degli osservatori.

In un'altra zona della stanza, un uomo e una donna sedevano vestiti in modo casual come se fossero ad un appuntamento e guardavano un film d'azione, ma ciascuno teneva il pesante guinzaglio a catena di un giovane uomo e una donna che sedevano sul pavimento di fronte a loro accarezzandosi a vicenda verso il climax lentamente, con gli occhi puntati sui dominanti mentre il film veniva proiettato dietro di loro. Mentre Susan continuava a guardarsi intorno per la stanza, sentì aumentare la propria eccitazione alla vista e ai suoni. Un altro gruppo sembrava riposarsi dopo gli sforzi mentre giacevano uno sopra l'altro respirando affannosamente.

Anche se i temi sessuali del club di Robert erano uguali a questi, a parte i palcoscenici sotto i riflettori, la maggior parte delle rappresentazioni si svolgevano nelle stanze private. Susan cercò di immaginare come sarebbe stata questa stanza in un fine settimana impegnativo e se i gruppi si fossero mescolati fino a diventare una sola grande orgia. Saltò quando sentì la mano di Sire infilarsi sotto la gonna e accarezzarle leggermente la fica.

"Sapevo che ti sarebbe piaciuto stare qui, sei una piccola troia così bisognosa," disse più forte di quanto Susan avrebbe voluto mentre le accarezzava il clitoride facendola arrossire profondamente anche se nessun altro nella stanza sembrava riconoscere la loro presenza. Lui tirò via la mano mentre il suo respiro diventava ansimante e fece schioccare la lingua, "Non ancora, ragazza avida." Le offrì il dito per pulirlo e le sorrise mentre lei lo succhiava dolcemente.

Sire la trascinò di nuovo in avanti verso l'altra estremità della stanza e attraverso una grande porta su un ponte coperto. Era decorato come un resort sulla spiaggia con una grande spa gorgogliante al centro e un piccolo bar a lato. "Questa è quella che chiamiamo la colonia dei nudisti; la nudità non solo è prevista qui fuori, ma spesso è imposta," le sorrise e le passò una mano sui seni coperti. "Dobbiamo ancora trovare Ruth, così potrai tenerti i vestiti," fece una pausa per enfatizzare, "Per ora."

Ancora una volta ragazze con gli asciugamani stavano vicino alla porta e quasi ogni spazio intorno alla spa era occupato da materassi sottili come quelli usati sulle sedie intorno alle piscine ma senza la struttura della sedia. Due coppie oziavano in giro, nude e apparentemente indifferenti mentre lei e Sire si guardavano intorno e tornavano nella stanza da cui erano venuti. Notò gli armadietti lungo il muro che conduceva al club e inclinò la testa quando cominciò a capire.

Susan era ansiosa ed eccitata allo stesso tempo. Non sapeva se temeva di essere smascherata lì o se lo desiderava. Era stata praticamente esposta nel club di Robert più di una volta, ma i brandelli di tessuto con cui l'aveva vestita erano stati una sorta di protezione dalla vera e propria nudità. L'aveva usata anche davanti ad altri più di una volta, ma in quelle occasioni c'era stata per lo più solo un'altra persona. L'unica vera eccezione era stata il club di Singapore, ma lei era stata nascosta sotto il tavolo mentre gli succhiava il cazzo, farsi scopare in uno spazio così aperto con tanti guardoni che volevano guardare era tutta un'altra cosa.

Tenendolo stretto per mano in modo che non potesse abbandonarla lì, tornò indietro attraverso quella che considerava la stanza delle orge con lui che scrutava ancora una volta i piccoli gruppi. Era così presa dalla riorganizzazione del trio che guardava il video porno che non si era accorta che l'uomo veniva verso di loro sorridendo finché non aveva parlato.

"Wildman! Era proprio ora che arrivassi qui." Un uomo alto quanto Sire e ancora più largo lo abbracciò in un abbraccio da orso prima che si girasse verso Susan e la sollevasse in un abbraccio altrettanto schiacciante che la fece strillare. "Quindi questa è la piccola fata che ha catturato la tua attenzione ultimamente."

I due uomini torreggiavano sopra di lei quando la rimise in piedi. Entrambi erano ben più di trenta centimetri più alti di lei, e mentre Sire era muscoloso e robusto; Ruth era un uomo gigantesco che ovviamente apprezzava gli eccessi che il suo successo gli permetteva.

"Venite", li incoraggiò, "ho un premio se supererà l'iniziazione".

Susan si immobilizzò alla parola iniziazione, e Sire la vide irrigidirsi. Lui sorrise, forse aveva un vero senso di autoconservazione quando non era del tutto sicura di ciò che la circondava e delle persone che la circondavano, non le aveva detto che poteva fidarsi di Ruth, come Andrew aveva fatto con se stesso, quindi capì e rimase piacevolmente sorpreso dalla sua momentanea riluttanza. Dovrebbe essere una serata interessante, e lui sorrise mentre lei lo guardava mordendosi il labbro e prendendogli di nuovo la mano.

Susan tornò indietro con gli uomini attraverso il bar anteriore e verso il lato dove una scala portava verso l'alto. In cima alla scala c'era un lungo corridoio da cui si accedevano porte a intervalli regolari.

"Hai intenzione di restare stasera, immagino?" disse Ruth a Sire mentre camminavano lungo il corridoio.

"Sì, lo penso. Dubito che questa piccola troia fallirà il tuo test," ridacchiò, e Ruth sorrise maliziosamente.

"Sai perché mi chiamano Ruth?" L'omone si era voltato per rivolgersi a Susan.

"No, signore," disse Susan con una voce più ferma di quanto il suo nervosismo le avrebbe permesso in passato.

"È l'abbreviazione di Spietato," le lanciò uno sguardo duro prima di lasciare che il suo sorriso si formasse agli angoli della bocca. "Lui," fece un cenno con la testa in direzione di Sire, "mi conosce bene e si fida di me con il tuo corpicino caldo," si fermò per osservare il suo viso alla ricerca di segni di paura o riluttanza, ma lei lo guardò fissamente, l'unico indizio che anche lei considerò minacciose le sue parole fu il labbro che improvvisamente le si incastrò tra i denti mentre lo guardava con quei brillanti occhi verdi che catturarono la sua attenzione.

"Puoi prenderne tre stasera," annuì a Sire e Susan guardò la porta davanti alla quale si erano fermati.

Sire le lasciò la mano e si chinò per baciarle la fronte, "Fiducia e obbedienza, piccola," mormorò, e più forte disse a Ruth, "La sua parola sicura è Stop, se la usa, ce ne andiamo." C'era un tono nella sua voce che indicava che credeva che se avesse usato quella parola non sarebbe stata lei a sopportare il peso della sua delusione.

Ruth si voltò e percorse il corridoio aspettandosi che la ragazza lo seguisse. Susan diede un'ultima occhiata a Sire e seguì risolutamente il gigante, Ruth, lungo il corridoio. Aprì la porta in fondo al corridoio e la tenne aperta mentre lei entrava e si guardava intorno. Il clic della porta quando si chiuse la fece sobbalzare. Si voltò e guardò l'omone che torreggiava sopra di lei, incerto su cosa fare.

"Allora, come ti trovi nel mio club?" Lui le sorrise e si spostò verso un divano basso dove si sedette pesantemente, indicandole di sedersi sul tappeto di fronte a lui. Tra di loro c'era quello che Susan aveva inizialmente scambiato per un tavolino, ma la superficie era più simile a una ciotola poco profonda in equilibrio sulle quattro gambe.

"È molto diverso dai club che conosco, signore," disse Susan a bassa voce, non proprio sicura di come rispondere. Questo club non aveva la ricchezza dell'arredamento o l'atmosfera cupa della maggior parte dei club in cui era stata, indipendentemente dal fatto che si adattassero o meno allo stile di vita.

"Certo che lo è," ridacchiò Ruth, "Nessun coglione pretenzioso verrebbe qui a bere kava e crogiolarsi nella vita dell'isola con me." Osservò Susan inclinare la testa senza capire bene le sue parole e sussultare quando una donna apparve accanto a lei. La donna aveva dei bellissimi capelli corvini lucenti che le ricadevano dritti lungo la schiena e si arricciavano sotto il sedere mentre si inginocchiava e sorrideva a Susan. Susan osservò quasi gelosamente la sua pelle color caramello mentre sorrideva in cambio e notava i bracciali tribali tatuati che adornavano i suoi bicipiti.

"Questa è la mia donna, Mata'Mo'Ana, la chiamerai Ana. Ti preparerà per la cerimonia", annunciò Ruth e sollevò la sua mole dal basso sedile per torreggiare sopra le donne. Li guardò dall'alto per diversi minuti prima di voltarsi e lasciare la stanza senza aggiungere una parola. Susan lasciò andare il respiro che non si era accorta di aver trattenuto quando la porta si chiuse di nuovo con un clic.

"Non sembrare così preoccupato, gli piace comportarsi in modo intimidatorio ma in verità ha un cuore tenero," disse Ana con un forte accento.

"Ciò che mi preoccupa è più il fatto che non capisco davvero cosa sta succedendo o cosa sto facendo qui", ha ammesso Susan. "Hanno detto qualcosa riguardo ad un'iniziazione e dopo aver visto giù per le scale quando sono arrivato," la sua voce si spense e abbassò lo sguardo sulle sue mani che giacevano in grembo. Ana poteva vedere la tensione nella ragazza e cominciò a fare del suo meglio per calmare la sua mente.

"Tui ha creato questo posto come kalapu o club di kava con suo padre quando era più giovane. A Tonga, Samoa e in una serie di isole del Pacifico il kava è una bevanda che gli uomini condividono durante le grandi cerimonie e anche in modo informale in alcune occasioni," ha fatto una pausa. per consentire a Susan di ricevere spiegazioni e informazioni sul club.

"Chi è Tui?" Inclinò la testa mentre la donna le sorrideva.

"Tui è anche conosciuto come Spietato o Ruth dai suoi amici", ha spiegato. "Ora devi imparare cosa fare durante la cerimonia del kava, non abbiamo tutto il tempo che vorrei quindi te lo spiegherò mentre procediamo. Sei pronto?" Ana guardò Susan seriamente.

Susan annuì ma in verità non era sicura per cosa fosse pronta. Andarono in un'altra stanza e, mentre assemblava l'attrezzatura, Ana spiegò le tradizioni della bevanda Kava e le varie cerimonie che si trovano in una varietà di isole del Pacifico e rise con Susan mentre spiegava la forma diluita chiamata grog. Tui era originario di Tonga e come suggerisce il nome era un parente del re, anche se lontano. Per questo motivo il consumo di kava e il suo rituale avevano per lui un forte significato.

"A Tonga, il kava viene bevuto ogni sera al kalapu, che è la parola tongana per club. Solo agli uomini è consentito bere il kava, anche se possono essere presenti le donne che lo servono. La cameriera era tradizionalmente una giovane vergine chiamata tou'a. Questi giorni, è imperativo che la tou'a non sia imparentata con nessuno nel kalapu perché sarebbe impossibile giudicarla onestamente. Per questo motivo spesso le ragazze straniere vengono invitate a essere una tou'a per una notte, e quindi se ci fossero uomini che si sentissero così inclini a giudicarla pienamente che potrebbero farle un'offerta indecente senza ritorsioni da parte della famiglia.La kava viene servita a rondelle in tazze di cocco e ha un effetto euforico sui bevitori che spesso cantano tradizionali canzoni d'amore accompagnate dalla chitarra e parlano di i talenti tou'a." Ana finalmente finì la sua spiegazione.

Durante tutto il suo discorso Ana insegnò pazientemente a Susan come preparare la bevanda utilizzando Fu'u, una forma in polvere della Kava solitamente riservata alla famiglia reale tongana che Tui aveva importato a intervalli regolari durante l'anno. Il processo di aggiunta del liquido e di impasto della radice in polvere fino a ottenere un impasto fibroso prima di creare la bevanda nel grande bollitore ornamentale in legno è stato piuttosto scoraggiante, ma Susan ha perseverato finché non ha raggiunto la perfezione.

Ana poi l'ha portata a vestirsi in modo appropriato per la cerimonia e Susan era preoccupata che la notte fosse troppo tardi, ma l'altra donna non sembrava avere fretta mentre aiutava Susan a spogliarsi e mostrava come posizionare la lei floreale sulle sue spalle e intorno ai suoi fianchi finendo per mettendo diversi fiori tra i suoi capelli. Prima che lasciassero l'isolamento delle stanze e si avviassero, al piano di sotto Ana fermò Susan e la voltò, così si fronteggiarono.

"Sebbene gli uomini credano che questa cerimonia riguardi solo loro e il loro dominio sulle donne, non è affatto così", ha iniziato. "Osserva attentamente coloro che servi stasera perché una volta raggiunto lo stato rilassato che la kava induce, vedrai emergere la vera natura dell'uomo mentre abbassa la guardia." Come sempre Susan rimase in silenzio quando riceveva nuove informazioni e si mordicchiava il labbro mentre rifletteva su ciò che Ana aveva detto. "Se una giovane donna viene corteggiata, vedrà la vera natura dell'uomo quando agisce come Tou'a per lui, se mantiene le sue parole e convinzioni o se ha cattivi pensieri nella sua mente e nelle sue azioni."

Susan annuì in comprensione e seguì Ana al piano di sotto indossando solo la ghirlanda di fiori, a testa alta, sapendo che avrebbe ricoperto una posizione importante nella cerimonia di stasera e doveva agire in modo appropriato. Uscirono nella zona del ponte posteriore, dove si insisteva sulla nudità e si avviarono verso il luogo dove un gruppo di diversi uomini sedeva in cerchio sugli stessi bassi cuscini, incluso il gigante, Ruth e Sire. Ognuno sedeva con le gambe incrociate esponendo la propria nudità apparentemente indifferente e una rapida occhiata intorno disse a Susan che nessuno aveva nulla di cui essere timido nel gruppo.

Anna si allontanò dal cerchio, rimanendo a una certa distanza dietro Ruth, sorridendo incoraggiante mentre Susan prendeva posto davanti al supporto di legno che conteneva il bollitore dell'acqua. Prese il sacchetto di Fu'u e lo vuotò in un piccolo piatto poco profondo che era posto davanti al bollitore e mentre gli uomini cominciavano di nuovo a parlare intorno a lei, iniziò l'intricata cerimonia di preparazione. Come Ana le aveva insegnato, non aveva fretta e attraversava tutte le fasi lentamente e con attenzione mentre gli uomini intorno a lei commentavano la sua tecnica. Alla fine, versò il primo mestolo fino a formare una noce di cocco e si staccò dalla posizione inginocchiata per presentarla a Ruth con la testa chinata.

Lui a sua volta lo prese con uguale rituale e brindò alla sua cultura, ai suoi amici e al tou'a. Ogni uomo seguì l'esempio mentre lei lo serviva e quando ebbe finito di servire l'ultimo uomo del gruppo scoprì che la coppa originale data a Ruth era vuota e iniziò immediatamente il secondo giro. Durante quel secondo turno, i commenti sulla sua tecnica cessarono, e si ritrovò ad arrossire mentre commentavano il suo corpo, dai riccioli tra i suoi capelli alla sua fica calva e al colore delle sue labbra.

Il secondo giro è stato fatto più lentamente e ha scoperto di avere il tempo di sedersi e mescolare la bevanda prima di essere chiamata a riempire nuovamente le tazze. La miscela diventava più potente ad ogni giro e uno degli uomini tirava su una chitarra e cominciava a cantare. È rimasta sbalordita dalle meravigliose armonie che questi uomini creavano mentre cantavano .

Le piccole tazze di cocco semisgusciate contenevano a malapena più di tre sorsi della bevanda, ma Sire ne rifiutò un terzo mentre gli altri uomini continuavano a bere. Susan poteva vedere gli uomini rilassarsi visibilmente sotto l'influenza del kava, e i loro discorsi divennero osceni in riferimento al suo fisico e al fatto che la piccola fatina non poteva sopportare di prendere nessuno degli uomini dotati presenti nella sua piccola fica.

"Lei non è la ragazzina ingenua per cui la credete," ridacchiò Sire, "il cazzo del suo ultimo amante vi farebbe sembrare tutti dei ragazzini in confronto" ci fu un'ondata di risate tra gli uomini.

"È così," riconobbero l'uomo Susan e Bozo, che li aveva interrogati quando erano entrati prima, "Beh, lei non è con lui adesso, forse ha rinunciato a cercare di entrare in quella piccola scatola stretta." Susan sentì il suo cuore fermarsi mentre l'uomo parlava di Robert come se fosse ancora vivo e abbassò la testa in modo che nessuno potesse vedere il dolore che le attraversava il viso.

"È morto sapendo quanto fosse bello, qualcosa che dubito tu possa mai sapere adesso," tuonò Sire osservando la reazione di Susan. Poteva vedere l'alzarsi e l'abbassarsi delle sue spalle mentre prendeva un respiro profondo per calmare le sue emozioni.

"Probabilmente ha ucciso..." cominciò Boza con un tono malizioso nella voce.

"Penso che farò alla tua Tou'a un'offerta che non potrà rifiutare," disse Sire interrompendo le parole cattive che uscivano dalla bocca di Bozo, "Se per te va bene, Ruth?"

"Se avessi aspettato ancora, avrei avuto me stessa," Ruth sorrise e fece cenno a Susan di avvicinarsi prima di stringerla in un forte abbraccio. "Hai fatto bene piccola fata, ti sei guadagnata il tuo premio." Lui sorrise: "Aiuta Ana con il cibo prima di sentire questa offerta che non puoi rifiutare, per favore."

Le due donne portavano vassoi di quelli che a Susan sembravano involtini di cavolo e una specie di gnocchi in giro per gli uomini che mangiavano con le dita. Mentre si avvicinava a Bozo, lui le afferrò la mano quasi facendo cadere il vassoio e la tenne ferma mormorando: "Allora cos'è successo, vecchio dolce papà ha avuto un infarto prima che tu potessi prenderlo per tutti i suoi soldi, piccola troia?" Susan cercò di liberare il braccio senza provocare una scenata, ma era impossibile. "Conosco il tuo tipo; dovrei darti una lezione, ma probabilmente ti farebbe piacere, vero? Fottuta puttana," sogghignò.

"Stop," sussurrò dalla sua bocca ma non ebbe bisogno di dirlo più forte perché vedendo cosa stava succedendo Sire era già in piedi ma essendo stato fermato da Ruth rimase al suo posto mentre Ruth si avvicinava e sferrava un pugno contro La mascella di Bozo lo fece cadere all'indietro trascinando Susan con sé e rovesciando il vassoio del cibo.

Accadde tutto così in fretta che subito dopo si trovò sulla spalla di Sire nella sua tipica presa da pompiere e lui stava facendo le scale due alla volta. Sire la lasciò cadere sul letto e si fermò sopra di lei guardandosi intorno brevemente. "Bene, i tuoi vestiti sono qui."

"Mi dispiace tanto, Sire," sussurrò tristemente Susan, "Non avevo mai avuto intenzione..."

"Non hai nulla di cui dispiacerti," disse dolcemente mentre si accovacciava di fronte a lei, arrivando al suo livello, tanto per cambiare. "È stata tutta colpa mia. Ho stupidamente menzionato il tuo ultimo Maestro. Non stavo pensando, perdonami." Sire la guardò seriamente. "Mi scuso per averti messo in una situazione del genere." Le prese il viso tra le mani e la baciò dolcemente. "In verità sono orgoglioso di te, per aver riconosciuto che eri arrivato ad un limite e non ne potevi più."

"Ero semplicemente scioccato. Voglio dire, sono stato tenuto lontano da qualsiasi media o insinuazione sulla differenza di età tra me e Robert. Non ho mai veramente pensato a come doveva essere apparsa alle persone che non ci conoscevano." Le lacrime brillavano nei suoi occhi mentre parlava. "Mi dispiace davvero di averti rovinato la serata, il kava dovrebbe essere rilassante ed euforico, e ho sbagliato tutto."

"Non hai fatto una cosa del genere," tuonò Ruth dalla porta facendo sobbalzare Susan. "Rimarrai stanotte, parleremo a colazione e riceverai il tuo premio", comandò e poi fece un cenno con la testa verso Sire.

"Torno subito," Sire baciò la fronte di Susan e seguì Ruth fuori dalla stanza sulla soglia, le figure si affollavano e Susan, sentendosi in colpa e vergogna, chinò la testa.

Ana è entrata dopo che lui se n'era andato con un sorriso. "Noi donne vediamo il vero volto di Kava, e non è sempre bello." La donna dalla voce pacata sorrise maliziosamente; a proposito di bello, ce n'è un altro che desidera assicurarsi che tu sia illeso dall'incidente." Si fece da parte, e un'altra figura alta riempì la soglia.

" Barry!" esclamò Susan. "Voglio dire, Sir Barry," si corresse subito Susan facendolo ridacchiare.

"Ciao Susan," disse laconico, "Gregory mi ha chiesto di controllarti questa volta, non era molto impressionato che saresti stata qui. A me, invece, piace moltissimo, il cibo è fantastico." Disse cercando di metterla a suo agio per la sua presenza improvvisa e senza preavviso.

"Non ho avuto il tempo di provare nulla," disse Susan dolcemente ma con un sorriso, "Sembrava davvero bello però." Barry alzò un sopracciglio alle sue parole. E ha subito corretto ciò che aveva detto. "Voglio dire, sono stato così impegnato stasera, ho mangiato tutto quello su cui ho messo le mani ultimamente, non vedo l'ora di tornare al club e scegliere di nuovo dal vostro menu." Barry rise forte.

"Bene, ti aspetto appena torni. Ti preparerò qualcosa di speciale, domenica sera," mi fece l'occhiolino, "Vieni, andiamo a prendere qualcosa da bere." Lui le tese la mano e si accigliò quando lei non la prese immediatamente.

"Sono sotto la protezione e la guida di Sire, Wildman, quindi dovrei davvero aspettare che ritorni prima di andare da qualche parte," Susan si mordicchiò il labbro e guardò Barry.

"Avevo dimenticato che brava ragazza fossi," Barry si sedette sul letto accanto a lei, "Allora aspettiamo e potrai dirmi quanto sei stata felice dall'ultima volta che ti ho vista. Potresti farmi ordinare del cibo favoloso per quando saremo?" scendere di sotto?" Barry si rivolse ad Ana.

"Naturalmente", disse e lasciò la stanza. Barry aveva un atteggiamento accomodante nei confronti della vita, proprio come Andrew. Più o meno allo stesso modo in cui Andrew aveva bilanciato i severi modi di controllo di Robert, così Barry sembrava bilanciare Gregory. Mentre chiacchieravano poteva capire perché ogni uomo aveva scelto l'altro con cui lavorare come Mentore, e sorrise alla somiglianza tra loro, Susan avrebbe potuto quasi avere una conversazione con Andrew mentre sedeva a parlare del suo tempo con Sire.

Barry era contento che lei avesse imparato a conoscere alcuni dei suoi limiti e che avrebbe usato una parola di sicurezza quando si fosse spinta troppo oltre. Non era sicuro dell'intero piano per addestrare la ragazza con una varietà di maestri presi dal gruppo delle parti interessate, ma chiaramente questa volta con Sire era stato utile a diversi livelli.

Sire tornò come un uomo molto più calmo e strinse felicemente la mano a Barry, sollevato dal fatto che non fosse stato Gregory a incontrarli al Kava Club. Nella sua mente, aveva pensato che sarebbe stato Barry a incontrarli, ma non ne era mai del tutto sicuro, Gregory sembrava prendere così sul serio i suoi doveri nei confronti di Susan, l'incontro con lui a casa di James e Sarah era stato molto interessante. -apertura per non dire altro.

Scesero insieme al piano di sotto, attraversando il bancone. Susan era consapevole di essere rimasta vestita solo con la lei di fiori che aveva indossato mentre serviva il kava. La sala delle orge si era riempita ancora di più da quando lei era entrata nel pomeriggio, e c'era azione ovunque per accompagnare il porno che scorreva attraverso gli schermi sopra i piccoli mobili. Dirigendosi verso il bar sul retro, Susan rimase in piedi mentre gli uomini si spogliavano e si guardavano intorno. L'azione dalla sala delle orge si era leggermente estesa a quest'area, tanto che una coppia giaceva attorcigliata attorno alla spa.

Avvicinandosi al bancone, Sire sollevò facilmente Susan su un alto sgabello da bar. Su invito presero il cibo che li attendeva e tornarono dagli uomini che ancora sedevano attorno al cerchio del kava cantando e bevendo. Invece di tornare al centro del cerchio, Susan si sedette tra Sire e Barry e si sentì come se fosse avvolta in una bolla sicura. Ruth li raggiunse dopo un po' e le ostruì la vista del resto della stanza con le sue enormi dimensioni, così cominciò a studiare la manica del tatuaggio che copriva il braccio sinistro di Barry e la parte sinistra della parte superiore del torace. Rimase ipnotizzata dal disegno e i suoi occhi si fecero pesanti mentre ascoltava senza entusiasmo la conversazione intorno a lei finché la conversazione non si rivolse completamente su di lei e sui suoi attributi.

"Speravo di farle provare la sensazione di essere condivisa qui stasera, non credo che sia mai stata presa da più partner prima e credo che sia una troia a cui piacerebbe molto," Sire la guardò dall'alto in basso , "Per non parlare di quanto mi piacerebbe guardarlo." Susan sentì il petto contrarsi per l'ansia, ma i muscoli della sua fica si flettevano per l'eccitazione al pensiero di essere usata nella stanza delle orge.

Fu con sorpresa che Sire la prese in braccio annunciando: "Ma sembra che sia passata l'ora di andare a letto per la piccola, se volete scusare noi signori." Ci furono mormorii di disappunto dal circolo ma nessuno si mosse per impedire loro di andarsene.

"Non sono così stanca," sussurrò Susan all'orecchio di Sire mentre si dirigeva verso il punto in cui lui e Barry avevano messo i loro vestiti in un armadietto. La tenne lontana da sé e la guardò negli occhi giudicando le sue parole attraverso i suoi occhi.

"Ognuno di quegli uomini ha espresso un desiderio, sei sicuro che sia quello che vuoi?" Si era girato verso il gruppo in modo che lei potesse vedere gli uomini seduti a guardarli. "È stata una giornata lunga e ricca di eventi e non ti spingerò a farlo a meno che non sia qualcosa che vuoi fare."

Susan si morse il labbro con ansia ma vedendo l'eccitazione riflessa negli occhi di Sire annuì: "Rimarrai e ti assicurerai che io sia al sicuro e mi prendo cura di me, quindi non ho nulla da temere," diede voce ai suoi pensieri.

"Fidati di me, piccola troia," Sire sorrise e annuì a Tui che sollevò la sua mole dal sedile basso e condusse gli uomini nella sala delle orge. Gli fece strada verso un piccolo ambiente circolare accanto al piccolo bar che sembrava essere riservato al suo uso. Susan guardò l'azione che accadeva in tutta la stanza mentre attraversavano, con gli occhi spalancati mentre cercava di distinguere le intricate catene di margherite. Sembrava che nessun genitale o seno fosse lasciato scoperto dalle mani, dalla bocca o dall'inguine e si meravigliava dell'aria di abbandono e del volume di rumore che la circondava.

Sire la posò sul tavolo rotondo basso al centro dello spazio e lei si guardò intorno nervosamente. Tua ha passato a Sire una benda sugli occhi spiegando la tradizione secondo cui lei non vede chi sceglie di testare gli attributi del tou prima di fare un'offerta formale alla sua famiglia per portarla a casa sua. "Come molte delle antiche tradizioni, non si adatta davvero a questo ambiente in quanto tale, ma mi piace il suo rituale e vorrei che lei lo indossasse," Tui le sorrise e lei annuì in segno di accettazione.

Sire si chinò per metterle la benda sussurrando: "Il primo cazzo che succhierai sarà mio, poi starò vicino, sarai al sicuro."

"Lo so," disse Susan con la stessa calma, lasciando che la sua affermazione trasmettesse la sua fiducia in lui mentre perdeva l'uso della vista. Sentì le mani di Sire sollevarla da dove si era seduta sui talloni per posizionarla sulle mani e sulle ginocchia. Respirò profondamente e sentì un brivido correrle lungo la schiena mentre apriva leggermente le labbra per accettare il cazzo che aveva imparato a conoscere così bene nelle ultime settimane. Poteva sentire i commenti di apprezzamento mormorati sulla sua tecnica e su quanto profondamente prendeva il cazzo in gola mentre gorgogliava e sbavava.

Barry guardava, a differenza di Gregory non aveva scrupoli quando si trattava di sesso di gruppo ed è rimasto piacevolmente sorpreso quando una ciotola di preservativi è stata passata tra il gruppo agli uomini. Mentre era seduto gli era stato detto che lo scopo di questa scena era venire sulla ragazza e non dentro di lei, rivestendola con la prova della loro eccitazione e desiderio, senza rischio di impregnazione, proprio come facevano i giapponesi nella cerimonia del bukkake. Osservò un giovane uomo che le andava dietro e si infilava un preservativo sul cazzo.

Sire si staccò dalla bocca di Susan con un ringhio e le spruzzò il suo carico sul viso mentre lei gemeva e ansimava, indietreggiando nella scopata che stava ricevendo dal giovane che sembrava altrettanto entusiasta. Sire ricadde su una sedia respirando affannosamente mentre un nuovo cazzo prendeva posto alla sua bocca. Sebbene dominanti nella loro cultura, pochi di questi uomini erano dominanti nel senso di schiavitù e il padre poteva vedere il corpo riscaldato di Susan tremare senza il vero godimento che le dava il piacere misto al dolore. L'uomo dietro Susan si tirò fuori e, strappando il preservativo, pompò il suo cazzo mentre si avvicinava alla sua testa, sollevandole il viso dal cazzo che stava succhiando e spruzzando il suo carico sulle sue tette mentre lei strillava e ansimava per respirare.

Lasciandola andare, Susan si lasciò cadere pesantemente sul tavolo e trovò una mano che la fece rotolare sulla schiena. Sentì il cazzo scivolare di nuovo oltre le sue labbra mentre un nuovo cazzo entrava nella sua fica. Le mani le afferrarono i seni stuzzicando i capezzoli e lei gorgogliò di piacere mentre venivano pizzicati forte. Se avesse potuto implorare di più, l'avrebbe fatto, poiché la piccola sensazione di formicolio che il pizzico le aveva dato si spense rapidamente e la sua eccitazione diminuì invece di raggiungere livelli più alti che l'avrebbero vista esplodere nell'orgasmo.

"Queste tette difficilmente valgono la pena di essere scopate, ma se ricordo bene, hanno un bel colore," Barry sorrise a Sire e allungò una mano per schiaffeggiare il lato di un seno, seguendolo rapidamente con l'altro. Barry però non aveva finito con lei, sapendo esattamente com'era Robert, le pizzicò i capezzoli e li torse mentre si chinava vicino al suo orecchio, "Adori tutto questo, piccola troia, tutto questo scopare e succhiare, ma so cosa sta facendo." Lui lasciò andare i suoi capezzoli e le schiaffeggiò di nuovo le tette, godendosi le grida soffocate e guardando il suo corpo sgroppare come se implorasse di più.

Susan si bloccò momentaneamente; aveva dimenticato che Barry era lì finché non aveva sentito la sua voce. Il dolore si accese nel suo cervello e lei si scontrò con l'uomo che la stava scopando, il quale gemette di apprezzamento sentendo i suoi muscoli stringersi attorno al suo cazzo. Arrossì al pensiero che Barry riferisse gli eventi di quella notte e sentì lo sperma asciugarsi sul viso e sulle tette. Bloccando la sua voce dal suo cervello ora febbricitante, Susan si permise di godersi le sensazioni dei cazzi e di venire mentre giaceva al centro di un gruppo di uomini come un prezioso giocattolo del sesso.

Barry si ritirò mentre i due uomini si allontanavano da lei e simultaneamente le spruzzavano il loro sperma sulla pancia, sulle tette e sul viso. Prendendo il controllo, Barry la tirò su con le mani e i piedi, entrando in lei bruscamente e avvolgendole la mano attorno alla coscia per pizzicarle e torcerle il clitoride gonfio. Lei gridò di dolore e di piacere finché non fu nuovamente messa a tacere dall'omone Tui che le sbatté il cazzo in gola.

Susan lasciò andare la mascella, non sapendo di chi succhiava il cazzo o chi l'aveva scopata, ma immaginò che fosse Barry a torturarle il clitoride mentre lei le schiaffeggiava il culo con la mano libera. Era sul punto di venire e il suo corpo tremava, le ginocchia tremavano sulla superficie del tavolo. Lo schiaffo continuò e Susan venne forte con la sua figa che pulsava attorno al cazzo mentre gridava attorno al cazzo in gola facendo gemere forte l'uomo davanti a lei e tirandolo fuori dalla bocca schizzando di nuovo il suo sperma con il suo sperma. Sembrava che il suo viso gocciolasse di melma mentre il cazzo usciva dalla sua fica e si inclinava verso la piccola stella scura o il suo culo.

Un altro cazzo si fece strada oltre le sue labbra ansimanti mentre Barry si spingeva in avanti oltrepassando lo stretto anello del suo ano. Susan ululò attorno al cazzo, le sue lacrime cadevano liberamente dalla bocca mescolandosi con lo sperma e la bava che già le coprivano il viso mentre continuava a cum le onde che scorrevano attraverso il suo corpo. Sebbene sapesse che nessuno poteva vedere i suoi occhi roteare nella sua testa per il doloroso piacere che gli uomini invisibili le davano e si perse nell'alto fluttuando perdendo il conto di quanto tempo era rimasta lì.

Sire guardò il corpo di Susan contrarsi e sussultare tra i due uomini, poteva vedere che ora stava galleggiando su un'altezza che l'avrebbe vista svenire se le onde avessero continuato a scorrere attraverso il suo corpo, si alzò e le mise una mano sulla vita per sostenerla. Gli uomini vedendo la sua mossa si permisero di finire più velocemente di quanto avrebbero potuto altrimenti allontanarsi mentre Sire la abbassava dolcemente sul tavolo in una pozzanghera appiccicosa di sperma prima di aggiungere il proprio al suo corpo e al suo viso.

Susan ansimò e piagnucolò mentre tornava lentamente con i piedi per terra, i suoi occhi sbattevano le palpebre mentre la benda veniva rimossa. Sire l'aiutò a sorseggiare dell'acqua prima di tornare alla sua sedia e riprendere la conversazione mentre lei giaceva sul tavolo al centro del cerchio per riprendersi.

Aprendo gli occhi al tocco di una mano tenera, Susan sorrise dolcemente vedendo Ana accanto a lei con una ciotola di legno e un panno. Le sue palpebre pesanti però si richiusero di nuovo e si lasciò commuovere dai morbidi tocchi di Ana finché non fu sollevata tra le braccia di Sire e portata di sopra.

Una volta che il suo respiro fu tornato alla normalità, Sire augurò la buonanotte al suo amico e la prese in braccio. Susan si rannicchiò vicino mentre Sire insolitamente la teneva stretta mentre si avvicinava alla stanza che avrebbero condiviso. Era molto tardi e vedendola esausta, Sire le tolse i fiori e la adagiò con cura sul letto, scivolando accanto a lei e attirandola a sé.

«Dormi adesso, piccolo», mormorò dolcemente.

*****

Al mattino, facevano colazione nella grande suite che Ruth occupava con Ana, mentre le due donne servivano agli uomini vassoi di frutta tropicale e piccoli vassoi di spessi pezzi di pane tostato, oltre a prosciutto e uova. A Susan è stato presentato, con grande cerimonia, un piatto per preparare e servire il kava completo di bollitore e piccola ciotola poco profonda sulle gambe. Dato che il loro viaggio sarebbe continuato ancora per qualche giorno, Barry si offrì di portarlo nel suo appartamento per lei, e lei accettò con gratitudine dopo aver promesso a Ruth che avrebbe esercitato e rinnovato le sue abilità ogni volta che avesse potuto.

Stavano uscendo dal club attraverso il bancone quando è stata fermata da una mano sul braccio. Sorpresa, si voltò e guardò il volto ferito dell'uomo che l'aveva avvicinata la notte prima.

"Mi scuso per il modo in cui ti ho trattato, perché meritavi rispetto, e mi vergogno," disse piano.

"Posso avere un momento, per favore," Susan si era girata velocemente per guardare Sire e Barry sentendoli irritarsi dietro di lei. Sire annuì bruscamente ma non si mosse dal suo fianco.

"Ora mi rendo conto che devi esserti fatto del male per avermi detto le cose che mi hai fatto. Il mio Maestro è morto proteggendomi da una pioggia di proiettili; sapevo che anche quando non eravamo insieme mi stava proteggendo; ama e mi protegge anche adesso," guardò Barry e Sire. "Si è assicurato che sapessi quanto fossi preziosa per lui. Mi ha seguito ogni volta che scappavo da una sfida, è sceso a compromessi e mi ha perdonato per essere stato stupido. Se il tuo cuore è così spezzato da incasinarti la testa, allora trovala e perdonala per quello che ha fatto perché non ci sono mai abbastanza ore al giorno per sprecarle nella gelosia e nel dolore."

L'uomo rimase sbalordito quando Susan allungò una mano e se la posò sul cuore prima di voltarsi e lasciare l'edificio. Sire e Barry impiegarono un momento per seguirla fuori. "Hai detto molto bene, piccolo," disse Sire con un sorriso, "Forse ti ho sottovalutato ancora una volta."

"Credo che tutti sottovalutino questa ragazza," Barry l'abbracciò, "Chiamami se hai bisogno, ci rivedremo al club tra qualche giorno." Susan lo guardò salire sulla sua bicicletta mentre si dirigevano verso quella di Sire e si sentì grata che Gregory non fosse stato lì ad assistere alla scena della notte prima, altrimenti tutti i suoi piani avrebbero potuto essere annullati immediatamente.

Viaggiarono attraverso le terre selvagge per molti altri giorni, scoprendo affioramenti rocciosi e bellissime cascate nascoste, prima di tornare finalmente alla civiltà e alla fine del loro tempo insieme.

*****

Susan si svegliò nel suo letto ascoltando le allegre melodie della radio mattutina e sentì una strana solitudine avvolgerla. Sbatté le palpebre fino al completo risveglio e si guardò intorno nella stanza. Sapeva che avrebbe dovuto trasferirsi e contemplava il vasto magazzino in cui viveva Sire. Nemmeno quello era proprio quello che voleva. A dire il vero; non sapeva cosa voleva, tranne che non voleva essere lì circondata da tutte le cose che erano Robert.

Rotolò giù dal letto e stirò il corpo dolorante. Sire l'aveva usata bene negli ultimi giorni e mentre camminava verso il bagno, oltre lo specchio, notò alcuni lividi che avrebbero impiegato un giorno o due per guarire. Eseguendo il rituale mattutino della rasatura completa del corpo sotto una doccia calda, pensò a quali sarebbero state le sue priorità per le settimane successive nel mondo degli affari. Non vedeva l'ora di affrontare la sfida di lavorare con Alan e sorrideva mentre si asciugava i capelli e si truccava.

Ancora vestita soltanto della biancheria intima andò in cucina alla ricerca di qualcosa per la colazione. Aveva fatto alcune promesse a Sire prima che lui la lasciasse definitivamente la scorsa notte e una di queste era quella di continuare a mangiare correttamente. Scoprì come sempre che la sua cucina era completamente fornita e, ringraziando silenziosamente Andrew, che vegliava su di lei, concordò sul fatto che vivere qui aveva i suoi vantaggi nonostante si sentisse intrappolata dal ricordo di Robert. Mangiò cereali e pane tostato prima di vestirsi.

Aveva intenzione di entrare presto in azienda, ma si rese conto che non aveva idea se ci fossero stati cambiamenti negli uffici o come ci sarebbe arrivata. Pensò che Alan sarebbe arrivato presto e decise di andare alla reception e farsi chiamare un taxi o un'auto aziendale. Lasciando il suo appartamento, notò che la porta dell'appartamento di Andrew era aperta e fece capolino.

"Buongiorno, dolcezza," la salutò Andrew dal comodo salotto dove era seduto con un uomo dall'aspetto tarchiato. "Stavo aspettando che tu emergessi."

"Buongiorno, signorino Andrew," disse allegramente Susan. "Buongiorno", aggiunse salutando l'altro uomo che non conosceva.

"Questo è Lincoln," disse Andrew a mo' di introduzione, "Sarà il tuo autista mentre sarai in città."

"Oh, sono sicura di non aver bisogno di un autista tutto mio, stavo solo pensando di acquistare una piccola macchina che potrei guidare per andare al lavoro tutti i giorni e magari a casa nei fine settimana", è rimasta sorpresa dall'annuncio. "Il mio vecchio sembrava essere morto, quando l'ho visto a casa dei miei genitori qualche settimana fa."

"Con il traffico, il parcheggio e tutto il resto è meglio così," la rassicurò Andrew imponendo ciò che voleva. "Gregory o io possiamo portarti a casa se vuoi andarci nel fine settimana," sorrise. "È sempre bello vedere Carla quando sono laggiù.

"Oh, okay, immagino," acconsentì Susan. "Non volevo mettere nei guai nessuno quando sono felice di guidare da solo."

"Nessun problema," disse Lincoln alzandosi, "altrimenti sarei senza lavoro. Immagino che tu sia pronto per andare, allora?"

"Sì, per favore," sorrise Susan prima di rivolgersi di nuovo ad Andrew, "Sai se hanno già cambiato ufficio?"

"Lo hanno fatto, ma fermati a vedere Anne e Alan, quando arriverai ti aspetteranno," suggerì Andrew. "È bello riaverti qui, Susan. Vieni a cena con me stasera."

"Ho quasi promesso a Barry che stasera avrei cenato con lui al club e che mi avrebbe mostrato un nuovo piatto che stava provando," disse pensierosa.

"Ah, bene, possiamo incontrarci lì," sorrise, e lei si morse il labbro chiedendosi se a Barry sarebbe dispiaciuto, ma non indovinò e ricambiò il suo sorriso. Si alzò con loro e si preparò ad andarsene, "Potrei entrare domattina e vedere gli imbrogli che si verificano al tuo ritorno," fece una piccola risata vedendo l'espressione di orrore sul suo viso. " Si dice che tu stia per organizzare una scalata ostile," rise più apertamente, "e ho deciso che voglio vederlo."

"Beh, sai, con l'appoggio di un principe del Medio Oriente e tutto il resto," disse con disinvoltura, ma dentro di sé gemette. Aveva solo sperato di entrare inosservata e iniziare il suo piano aziendale che avrebbe dato inizio a una nuova carriera per lei, una carriera che non vedeva davvero l'ora di decollare.

Aveva appena trascorso due settimane senza il costante ricordo di Robert e gli sguardi pietosi dei suoi amici e ora, di nuovo di fronte alla realtà, il suo entusiasmo di tornare in azienda svanì. Facendo un respiro profondo prese con decisione la piccola valigetta che conteneva il telefono, il portafoglio e tanto spazio vuoto. Poi andò con gli uomini al parcheggio sotto l'edificio.

Andrew le chiese del tempo trascorso con Sire durante il breve viaggio facendole promettere di dirgli di più quando si sarebbero visti quella sera. Susan non era sicura di voler condividere molto di quello che era successo durante le due settimane con Sire. Stava ancora elaborando tutto ciò che aveva imparato nella sua mente, ma amava Andrew e sapeva che lui teneva a lei e glielo chiedeva solo perché preoccupata per lei, quindi aveva accettato.

Entrarono nell'edificio attraverso l'atrio e come al solito Susan fu accolta calorosamente come se fosse sempre appartenuta a questo mondo del grande business e così sorrise e salutò tutti a turno. L'ascensore era affollato e piccole voci sommesse le diedero il benvenuto e dissero che erano contente di vederla così in forma. Fece del suo meglio per conversare in modo educato e ringraziare ogni persona, ma era grata perché ognuno di loro usciva dai vari piani prima di raggiungere la cima.

Camminando verso le suite executive, Susan sopportò un altro giro di saluti e chiacchiere finché finalmente si fermò nell'anticamera ad abbracciare Anne, che la tenne lontana e la guardò con occhio critico. "Hai dovuto affrontare la sfida durante la salita, non è vero tesoro?" Chiese abbracciandola Susan una seconda volta.

"Sì, ma credo che non dovrei essere sorpresa, ci vorrà un po' prima che la gente si abitui a vedermi di nuovo tutti i giorni. Comunque non vedo l'ora di iniziare questo business plan," ha detto con entusiasmo alleggerendo la sua voce .

"Vado a parlare con Alan," disse Andrew dirigendosi verso la porta dell'ufficio, "Voi due ragazze prendetevi un minuto, entrate quando siete pronte."

Susan guardò la porta dell'ufficio di Alan aprirsi e chiudersi. Era strano sapere che adesso quello era l'ufficio di Alan, quando era sempre stato quello di Robert. Non era più tornata lì da poco dopo la sua morte; quando aveva avuto un totale tracollo emotivo e il suo spazio qui in azienda era cambiato. Guardò con occhi nuovi l'anticamera che ora era l'ufficio di Anne e che una volta era stato suo.

Era stato ristrutturato e se non avesse avuto il tempo di pensarci probabilmente non avrebbe nemmeno saputo che si trattava dello stesso ufficio; era stato alterato in modo così drammatico. "Adoro quello che hai fatto qui", disse in modo eccessivamente vivace.

"Sono così felice che tu approvi," Anne le rivolse nuovamente uno sguardo valutativo. "Oh tesoro, stiamo tutti cercando di andare avanti, a modo nostro, va bene sentirsi..."

"Lo so," disse Susan dolcemente rassicurandola velocemente, "È tutto fantastico, davvero!" ma il suo entusiasmo non era trasmesso dal tono della sua voce. Anne si accigliò e continuò velocemente: "Ci vorrà solo un po' di tempo per abituarsi a tutti i cambiamenti, tutto qui. Hai fatto davvero un ottimo lavoro."

"Bene, allora preparati, tesoro," Anne si mise dietro Susan e la prese per le spalle mentre la spingeva verso la porta di quello che una volta era l'ufficio di Robert. Susan posò momentaneamente la mano sulla porta chiusa lottando contro l'impulso di cadere in ginocchio prima di aprirla ed entrare.

I cambiamenti nel vasto ufficio erano sorprendenti, e Susan rimase appena oltre la porta, sentendosi insicura. Alan le fece cenno di entrare nella stanza e si alzò dalla scrivania per abbracciarla. "Com'è andata la tua piccola avventura? Sei pronto a dedicarti a qualcosa di serio?" Il suo sorriso era ampio e lei sentì il calore di qualcosa di più delle sue semplici braccia mentre la avvolgevano.

"Non vedo l'ora!" Susan squittì mentre veniva schiacciata nell'abbraccio.

"Bene, ho fatto alcuni programmi per questa settimana, ma prima di tutto, tu e il tuo nuovo ufficio dovremo iniziare i colloqui per un nuovo assistente," smise di parlare mentre lei sussultava.

"Cassandra non tornerà?" chiese confusa.

"Lei sarà qui per aiutarti a sistemarti, ma è meglio che tu abbia qualcun altro, soprattutto per il viaggio che dovrai intraprendere," disse Alan in un tono che sembrava come se non fosse una decisione negoziabile e Susan si morse ancora una volta il labbro annuendo leggermente. Alan divenne improvvisamente serio: "Andrew e io ne abbiamo discusso, e non vogliamo altre relazioni pericolose come quelle giù alla casa al mare. Cassandra è tua amica e ti vuole bene, queste cose non necessariamente costituiscono una relazione." buon assistente. Capito?"

"Sì, Maestro", disse tranquillamente. Era triste pensando che le conseguenze delle sue stesse azioni avessero causato tutto ciò, ma forse non tutto era perduto poiché un'idea si era formata nel suo cervello.

"Bene," le rivolse uno dei suoi sorrisi da ragazzino, "Ora ho stilato una bozza di programma per questa settimana, sarà un programma duro ma abbiamo molto da fare in un breve lasso di tempo prima che tu vada a fare il galante." un'altra avventura," le lanciò uno sguardo canzonatorio. "Se è necessario apportare modifiche , la persona con cui parlare è Anne o Patrick in sua assenza.

La confusione apparve sul suo viso mentre esaminava il suo cervello e ritrovava Patrick e Rhys dal suo ultimo viaggio in azienda. Lei sorrise, mentre lui le porgeva la bozza del programma e diverse altre piccole cartellette.

"Questa è una breve lista per i tuoi assistenti personali, questa è una lista di possibili arredatori per il tuo nuovo ufficio, questa," sollevò una cartellina blu reale, "è il tuo piano aziendale con una quantità considerevole di note di revisione e suggerimenti. Leggilo attentamente oggi, ci incontreremo e inizieremo a sistemarlo domani." Era così vivace e professionale. Quindi, diversamente dal accomodante Alan che aveva sempre conosciuto. Immaginò che prendere il posto di Robert qui fosse un compito difficile per lui, o forse era perché non aveva mai avuto a che fare con lui in senso commerciale; era sempre stato così rilassato e gioviale con Robert quando lei era lì.

Avvolgendola di nuovo tra le sue grandi braccia, la sua voce si addolcì un po': "Anne ti aiuterà con il resto, sono sicuro che ricordi abbastanza del lavoro con Robert per orientarti nei piani esecutivi.

È bello riaverti qui, dove Posso vederti più spesso, piccolino; mi sei mancato."

"E mi sei mancato," lei ricambiò il suo abbraccio con tutto il cuore. "Meno male che sono arrivata presto, sembra che sarà un compito arduo, Maestro," fece una mezza risata per prenderlo in giro. "Credo che dovrei andare a cercare il mio ufficio allora," disse allegramente, voleva solo iniziare adesso e pensare a tutto quello che doveva fare.

Alan la guardò andarsene. Era preoccupato di come avrebbe gestito la sua nuova posizione in azienda. Robert l'aveva scelta per la sua naturale sottomissione, e non c'era spazio per questo nel mondo degli affari, alla fine avrebbe dovuto prendere alcune decisioni e negoziazioni difficili da sola. Si chiese se si rendesse conto che il suo addestramento lì sarebbe stato altrettanto difficile ed estenuante quanto quello delle sue altre avventure.

Si rivolse ad Andrew: "Come sta davvero?"

"Mi sembra sempre di sottovalutare quella ragazzina," Andrew alzò le spalle. "Lei è piuttosto dura a modo suo. Penso che abbia superato Robert e tutto quello che è successo? Nemmeno per molto, ma se dovessi scommettere se questo suo piano funzionerà o meno, punterei una grossa somma su Esso."

"Speriamo che tu abbia ragione, amico mio," Alan guardò di nuovo la preoccupazione che si leggeva sul suo volto.

*****

Susan seguì Anne fuori e lungo il corridoio fino a quello che era stato l'ufficio di Andrew, dove Patrick era seduto nell'anticamera a sorseggiare un caffè mattutino. Vedendoli, saltò giù dal suo posto e si affrettò ad abbracciare Susan.

"Susan! Tesoro!" lei sorrise e ricambiò l'abbraccio. "So di aver detto che non mi sarei mosso, ma il Maestro lo voleva così tanto e chi sono io per rifiutare," alzò gli occhi al cielo. "Non è ancora finito ma vieni a vedere, l'intero piano non è stato altro che decoratori d'interni e grossi commercianti nelle ultime due settimane! Sono stato in paradiso, tesoro!"

Susan ridacchiò e lasciò che lui la accompagnasse attraverso l'anticamera e nel grande ufficio che aveva una disposizione identica a quello che ora era l'ufficio di Alan. Rhys Muldoon la salutò da dietro la scrivania con un sorriso: "Buongiorno Susan, hai avuto una piacevole pausa?"

"Sì, grazie," non era sicura di quale sarebbe stato il termine giusto per rivolgersi, ma sapendo che era il Maestro di Patrick, optò per il termine "Signore".

"Non vedo l'ora di lavorare con te, credo che avremo un incontro domani," guardò Patrick che annuì in senso affermativo. "Ho letto il tuo piano, ha qualche merito, ma ho alcune domande che vorrei farti. Possono aspettare, perché vedo Patrick che inizia a imbronciarsi perché ho già preso gran parte del tuo tempo. Saremo vedendoci spesso mentre siete qui," rivolse a Patrick uno sguardo severo che la diceva lunga nonostante le sue parole gentili ed educate a Susan. "Come sempre è un piacere vederti, Anne," inclinò la testa. "Susan avrà tutto il tempo per fare ooh e ah durante tutto il tuo duro lavoro, Patrick. Lasciala andare e inizia la sua giornata, ha molto da recuperare, non è vero?" si voltò per rivolgersi a lei.

"Certamente," annuì, "Mi piacerebbe però tornare quando avrò più tempo," sorrise a Rhys e poi a Patrick. Cominciò a rendersi conto di trovarsi in una posizione precaria. Non era più un'assistente, e non era nemmeno una dei dirigenti, era una specie di indulgenza, come quella strana cugina che aveva un lavoro nell'azienda di famiglia solo perché erano di famiglia. Odiava il pensiero che qualcuno dei veri dirigenti la considerasse non meritevole del suo posto lì. Decise che aveva bisogno di mettersi al lavoro e dimostrare di essere degna di essere lì, prima di fare altri tour negli uffici di altre persone.

"Mi piacerebbe davvero vedere il mio ufficio prima di quello di chiunque altro," rise leggermente. "Mi dispiace disturbarla, signore," disse Susan con lo stesso tono allegro. I tre lasciarono l'ufficio e tornarono nell'anticamera. "Mi dispiace se ti ho messo nei guai, Patrick," disse Susan tranquillamente.

"Stai scherzando? Era solo un lamento sconsiderato," sorrise Patrick. "Inoltre ha ragione, vai, pranzeremo mercoledì," disse con leggerezza.

"La mia agenda sembrava piuttosto piena", ha detto Susan, "non sono sicura..."

"Chi pensi che abbia fatto il programma?" Strizzò l'occhio ad Anne.

"Non penseresti che avrei redatto quella bozza senza aggiungere un pranzo o due con me, vero?" Anne sembrava sconvolta all'idea e Susan rise.

"Onestamente, a parte il desiderio di trovare il mio ufficio e sedermi per dare un'occhiata a questo programma, non ho pensato a niente!" Lei alzò gli occhi al cielo: "È bello vedervi entrambi, davvero ho bisogno dei miei amici ora più che mai, ma sento davvero il bisogno di iniziare, altrimenti sarò io quella nei guai."

"Okay tesoro, andiamo," disse Anne e Patrick le augurò buona fortuna mentre uscivano e percorrevano il corridoio. Pochi giri dopo entrarono in un piccolo ufficio che sembrava essere stato appena ristrutturato. Le pareti appena dipinte erano di un beige neutro, così come la moquette. Gli unici mobili erano la scrivania dell'assistente e una sedia su cui c'era un computer, e nell'ufficio principale lo stesso arredo ma con l'aggiunta di una libreria anch'essa dipinta dello stesso beige delle pareti.

"È una tabula rasa, tesoro, per fare il tuo, proprio come lo vuoi," indicò nello spazio praticamente vuoto. "Ho qualche idea, se vuoi aggiornarci più tardi, chiamami. Vuoi che rimanga qualche minuto? O fino all'arrivo di Cassandra?"

"No, penso di aver bisogno solo di qualche minuto per elaborare il tutto," disse Susan dolcemente girando attorno alla scrivania per sedersi sulla sedia. "Grazie di tutto, Anne. Sono così felice che tu sia vicina, penso che avrò bisogno dei miei amici nelle prossime due settimane," sorrise sbilenca. "Faresti meglio a tornare indietro prima che Alan pensi che ho rubato il suo assistente, così non devo interrogare la sua lista."

"Guardati, sei una dura donna d'affari," la prese in giro Anne, "Sono contenta che tu finalmente sia abbastanza vicina da poter contattare anche io, sai che voglio i dettagli della settimana scorsa , vero?" chiese con una risata che fece arrossire Susan.

"Sì, tu e tutti gli altri," rise Susan, "Che ne è stato del fatto che non ci si baciava e non ci si raccontava? È stato grandioso, diverso ma grandioso."

"Per ora va bene," Anne fece l'occhiolino, si dondolò e uscì dall'ufficio lasciando Susan nei suoi pensieri.

Si guardò intorno e sapeva che, il tempo con gli interior designer difficilmente sarebbe stato necessario, sapeva cosa voleva. Non era sicura di come si sarebbero sentiti gli altri, ma per lei sarebbe stato perfetto. Ciò di cui aveva bisogno era un project manager, o almeno un responsabile degli appalti, e si chiedeva se invece avesse soldi nel budget per quello. A dire il vero, adesso aveva abbastanza soldi per fare ciò che voleva, ma la sua vita qui in azienda non sarebbe mai stata così facile mentre era sorvegliata da due Maestri e lottava per mettersi alla prova.

Non farebbe scalpore oggi; avrebbe fatto quello che le era stato chiesto e avrebbe intervistato tutti i presenti. Esaminò la bozza del programma, poi prese ogni elemento dalla scrivania esaminandolo. Aveva un nuovo computer, un androide ovviamente collegato al server aziendale e tutta la cancelleria di cui avrebbe potuto aver bisogno era ammucchiata ordinatamente da parte. Beh, pensò, in un momento come questo, aprì la sua proposta commerciale e guardò in basso in un mare di segni e commenti blu e rossi che erano stati scarabocchiati sul suo documento ben dattiloscritto.

Aveva appena finito metà della prima pagina quando Cassandra entrò. "Non è molto spazio, vero?" Disse guardandosi intorno; Susan strillò di gioia, si alzò e abbracciò la donna.

"Mi dispiace tanto di averti messo nei guai, se avessi saputo..."

"Saresti comunque scappato ogni notte," rise Cassandra. "Non preoccuparti, i guai sono ciò che rende la vita interessante quando arrivi alla mia età."

"Bene, perché penso che potrei causarne un po' in questo posto soffocante, e ho bisogno di uno scudo," rise Susan con lei.

"È così bello riaverti qui. Abbiamo tempo per una chiacchierata veloce?" Cassandra l'abbracciò di nuovo.

"Lo faremo tra poco, se puoi iniziare subito e farmi qualche telefonata, stamattina?"

"Certo, dolce ragazza, non pensavo che saresti stata pronta con qualcosa per me così presto," Cassandra rimase un po' sorpresa.

"Ci sto pensando da un bel po' ormai, quindi non vedo l'ora di iniziare," Susan sorrise con entusiasmo contagioso, "e sono così felice che tu sia qui con me; ho un nuovo titolo lavorativo per te una volta Assumo un nuovo assistente, se vuoi restare, almeno per un po'."

Cassandra era un po' sopraffatta; non aveva discusso la decisione di rimuoverla dall'incarico di assistente di Susan, anzi, era stata lei ad avviare quella conversazione con Alan. Si era sentita meno propensa a tornare al lavoro a tempo pieno, ma l'opportunità di lavorare con Susan su base occasionale era qualcosa che le piaceva l'idea, e così Alan aveva accettato di assumersi la responsabilità del cambiamento, in modo che Susan non lo facesse. non sentiva che una delle sue amiche la stesse abbandonando. Non aveva considerato la reazione di Susan così sincera.

"Cosa vuoi che faccia?" Chiese presa dall'entusiasmo di Susan.

"Ecco l'elenco degli interior designer che dovrei incontrare, provali per me, cerco linee pulite, metallo e pietra, magari sculture, se sono tutti disordinati, accoglienti o con motivi in legno e floreali, allora cancellali. So cosa Lo voglio; ho solo bisogno di qualcuno che me lo possa procurare," disse Susan con decisione.

"Okay, chi sei e cosa hai fatto con la mia dolce, indecisa, insicura, piccola Susan," rise Cassandra.

"Voglio questa Cassandra, per me. Non troverò un altro Robert; me ne rendo conto," sospirò, "e devo mostrargli... devo mostrare loro che sono seria riguardo a questo progetto, che sono più che un semplice supplente che Robert lascia giocare a fare la donna d'affari." Sentì riemergere le lacrime che non versava da più di una settimana.

"Bene, allora mostriamo a quei bastardi arroganti che non hanno idea con chi hanno a che fare," prese la lista dalle mani di Susan, "Mi faccia sapere se ha bisogno di altro, signorina Biancotti," fece l'occhiolino facendo ridere Susan.

Susan si sedette e si perse di nuovo nella proposta d'affari finché il servizio di messaggistica interna sul suo computer non si animò. Il suo primo intervistato per il posto di assistente era arrivato ed era apparentemente molto bello. Susan sorrise mentre rispondeva: "Bene, mandalo dentro!"

Susan si alzò quando la porta si aprì e Cassandra fece entrare un uomo alto e muscoloso. Questo sarebbe stato uno schema che Susan scoprì presto poiché ogni mezz'ora un altro candidato che sembrava più una guardia del corpo che un assistente entrava dalla sua porta. Cinque dei sei candidati erano uomini e quando l'ultimo se ne andò, Susan era più che sospettosa riguardo a questa breve lista che Alan le aveva dato. Anche lei stava morendo di fame, nonostante il caffè e i dolcetti che Cassandra le aveva fornito durante la lunga mattinata. Guardò la bozza del programma e poi l'orologio; Mancava più di un'ora al pranzo, quindi per distrarsi dal brontolio della pancia chiamò Cassandra.

"Allora qual è il tuo verdetto? Quella era la lista dell'Autorità Palestinese o quella delle guardie del corpo?" Susan si appoggiò allo schienale della sedia.

"Entrambi," ridacchiò Cassandra, "Non erano molto sottili, vero?" Susan scosse la testa. Cassandra la guardò con attenzione: "Okay. Ecco cosa ho scoperto," amava Susan come una figlia ed era orgogliosa del modo in cui si comportava. Non aveva intenzione di lasciare che Andrew e Alan la manipolassero. "Le regole del club ora stabiliscono che, a meno che non sia dimostrato o sostenuto da un membro del club, ogni nuovo aspirante Dominante deve avere un mentore all'interno dell'élite del club. Ciascuno di quegli uomini e quella donna hanno tutti fatto domanda per essere presi in considerazione dall'élite del club di recente. " Ha lasciato che Susan ricevesse quell'informazione.

"Ora, tre credo siano liberi professionisti, mercenari, guardie del corpo professioniste. Uno degli altri viene da vecchi ricchi e ha un reddito indipendente da investimenti; l'altro è un investigatore privato e la donna era l'unica a non fidarsi di un una vecchia signora come me con i suoi segreti. Nessuno di loro ha veramente bisogno di questo lavoro, ma non sarebbe difficile per loro intraprenderlo piuttosto che quello che stanno facendo attualmente per ungere gli ingranaggi del club."

"Capisco che l'ingresso nel club, con diciamo Andrew, il grande drago degli inferi come mentore, è un premio per il quale vale la pena fare da babysitter a me," sospirò Susan.

"Ho scoperto che uno degli uomini muscolosi ha frequentato la scuola serale per laurearsi in economia," ha aggiunto Cassandra, "È sorprendente quello che diranno alla vecchia signora che pensano sia allettante qui."

Susan fece scivolare il CV dello studente di economia attraverso la scrivania verso Cassandra, "Me ne faranno scegliere uno indipendentemente da quello che penso delle qualifiche della loro rosa dei candidati e ammettiamolo, quella donna era semplicemente spaventosa," rabbrividì, "Chiama riportalo indietro," diede un colpetto al file, "Vedi se è ancora abbastanza vicino all'edificio per tornare per qualche altra domanda." Rivolse a Cassandra un sorriso malvagio.

Quindici minuti dopo, Susan si sedette alla scrivania accanto a Cassandra e Mark Braithwaite. "Ha sentito parlare di me prima di fare domanda per questo lavoro, signor Braithwaite?" Fece una pausa: "Il mio incidente in Italia, le sue conseguenze e come sono arrivata alla mia nuova posizione all'interno di questa azienda?"

"Sì, e mi dispiace tanto per la tua perdita, il signor Marino è stato davvero un grande uomo con tutto ciò che ha realizzato nella sua vita," le sue parole erano sincere e si vedevano dalla sua espressione.

"Quindi ecco quello che so," iniziò Susan e raccontò i dettagli dell'accordo che Alan aveva fatto con i ricorrenti e di cui Cassandra l'aveva informata, "Vero o falso?"

"Vero," Mark la guardò negli occhi.

"E tu lo vedresti come un facile lavoro da babysitter mentre hai un mentore e l'iscrizione immediata al MR. Club, vero o falso?" Susan non abbassò lo sguardo.

"Non è facile rispondere con una sola parola," cominciò Mark e fece una pausa. Quando Susan non parlava, elaborava. "Ho visto questa come un'opportunità sia sul fronte professionale che personale. Sì, sarei diventato membro e avrei ottenuto un mentore presso MR., ma avrei anche contribuito a costruire una proposta commerciale completamente nuova da quello che ho capito, e che in di per sé è una prospettiva entusiasmante. Per quanto riguarda i compiti di baby-sitter, immagino che con così tante persone che si prendono cura del tuo benessere difficilmente avrai bisogno che lo faccia." Guardò Cassandra in modo significativo prima di tornare a Susan.

"Ti hanno detto chi ti avrebbe fatto da mentore?" per qualche ragione questo era importante per Susan.

"Mi aspetto che, dato che lavorerai con i pezzi grossi qui, avrò solo la migliore introduzione al mondo dei grandi affari," ha deviato la sua domanda mantenendo l'intervista extra sul posto di lavoro.

"E al Circolo?" lo incalzò.

"Ho chiesto di Gregory, anche se non ha accettato," ammise infine Mark.

"Forse potrei aiutarti in questo; è stato nominato mio osservatore personale, quindi sono sicura che amerebbe qualcuno all'interno, per così dire," Susan rabbrividì al tono della sua stessa voce.

"Onestamente, pensavo che sarebbe stato un buon lavoro a livello professionale, e anche se facilitare il mio percorso nel club è un enorme vantaggio, preferirei tenere le due cose separate, per favore," ha detto con frustrazione chiara nella sua voce.

"Ti rendi conto che vivo nello stesso edificio del club, e che mi vedono lì in occasioni che potrebbero rendere le cose molto scomode per entrambi," Susan non lo lasciò andare così facilmente. "Sai che lì mi trattano come una sottomessa. Potresti lavorare per una donna che potresti vedere seduta volentieri ai piedi, diciamo, di Sir Gregory?"

"In questo caso, ovviamente, avremmo bisogno di regole di base; forse Gregory potrebbe aiutarci dato che sarei il nuovo lì così come qui," la guardò seriamente, "Posso tenere lavoro e divertimento separati entità; l'ho sempre fatto, e nel mio lavoro non è sempre facile."

"Hai almeno competenze da ufficio?" chiese Susan più timidamente, scoprendo che le piaceva la sua franchezza.

"Anche tu eri una specialista in economia non molto tempo fa, dimmi," le rivolse un sorriso sfacciato mentre le faceva sapere che sapeva più di lei di quanto lei si rendesse conto.

Rompendo la rigida immagine degli affari, si rivolse a Cassandra e ridacchiò: "Cavolo, aveva delle buone risposte, vero?"

"Immagino che potrei fargli da babysitter mentre si sistema, preferirei davvero lavorare part-time prima o poi," Cassandra sorrise e Mark guardò le due donne mentre chiacchieravano allegramente come se lui non fosse lì. "Inoltre è molto bello, quindi non sarà poi così difficile."

Susan si voltò verso Mark e sorrise: "Vuoi ancora il lavoro?"

Fu il turno di Mark di ridere. Aveva l'idea che gli sarebbe piaciuto lavorare con queste due donne. "Sì, quando vuoi che cominci?"

"Circa tre ore fa, davvero," Susan alzò le spalle. "Immagino che adesso sia troppo presto? Potresti chiamare gli altri candidati e dire loro la buona notizia per me."

"Certo, perché no," Mark le sorrise di rimando. "Non avevo fatto altri programmi oltre a questa intervista oggi."

"Eccellente", disse Susan. Era andata meglio di quanto avesse pensato, e si ritrovò a piacerle quell'uomo anche se non si fidava completamente delle sue motivazioni. Tuttavia, si fidava e amava le persone che cercavano di proteggerla manipolando le sue scelte. Non era arrabbiata ed era contenta che almeno uno dei candidati avesse un reale interesse per gli affari e per il progetto che stava per intraprendere.

Quindici minuti dopo, Susan entrò nell'anticamera dell'ufficio dove sedevano Cassandra e Mark: "Sto andando a questo pranzo che è in programma da brava ragazza, vieni con me Mark e ti presenterò ad alcuni degli altri, e potrai conoscere tutti i pettegolezzi che non mi dicono."

Mark rimase accanto a Susan rendendosi conto di quanto fosse piccola e minuta. Seduto dietro la scrivania, non se ne era reso conto, ma la sua corporatura massiccia e la sua altezza la facevano impallidire mentre camminava accanto a lei. Sembrava indifferente alla disparità e proseguì dirigendosi verso l'altra estremità del piano esecutivo. Anne alzò lo sguardo mentre entrava seguita dall'omone, con la sorpresa sul suo volto.

"Questo è il mio nuovo assistente, Mark," lo presentò Susan, "Questa è la mia buona amica Anne," continuò. "Voi due potreste darmi un minuto con..." fece un respiro, "Alan," aveva eliminato il Maestro dal suo nome per la prima volta, e le sembrava semplicemente sbagliato.

"Certo tesoro, entra," sorrise Anne.

Susan entrò con tutta la spavalderia che riuscì a raccogliere nell'ufficio di Alan. Ha avuto un doppio stupore vedendo Andrew ancora lì e realizzando che anche lui era lì per pranzo. Avevano alzato lo sguardo quando lei era entrata e le avevano fatto cenno di sedersi comodamente. Si sedette sul bordo del divano e li guardò scuotendo la testa.

"Cosa c'è che non va?" chiese Alan, con la preoccupazione che traspariva dalla sua voce.

"Come faccio a fidarmi completamente di te se non vuoi nemmeno dirmi cosa sta succedendo?" chiese con calma. "Non pensavi che non mi sarei accorta che il King Kong delle guardie del corpo era arrivato per farmi da segretario? E poi ho scoperto che dovevi corromperlo per essere lì," concluse tristemente.

"Starai viaggiando. Avevamo bisogno di sapere..." disse Alan in tono rassicurante anche se il suo umore era aumentato dietro l'apparenza calma.

"Lo capisco davvero; ho preso delle decisioni stupide e hai tutte le ragioni per non fidarti che ne sto prendendo di migliori ultimamente quando sono da sola, ma un avvertimento sarebbe stato carino," sospirò, "Adesso A quelle persone sembro semplicemente uno sciocco, come possono fare quello che chiedo quando non possono rispettarmi perché il capo pensa che ho bisogno di una babysitter. Nessuno di loro vuole essere il segretario di una piccola supplente come me, sono tutti quelli di tipo alfa; possiedono piccoli sub come me, non il contrario."

"È così che stanno le cose," disse Alan mostrando un po' di impazienza, "Scegline solo uno, non ti lascerò andare in giro per la campagna a trattare da solo con gente dell'industria fetish."

"Come ho detto, capisco perché l'hai fatto, Maestro, e ti amo per questo. Se scelgo uno di questi gorilla, posso mantenere Cassandra part-time come project manager? Ho un'idea di tenere dei campioni nel mio ufficio e beh con la ristrutturazione potrebbe aiutare la persona che scelgo con qualsiasi piccolo intoppo che si verifica lungo il percorso, ha così tanta esperienza con tutte le cose... umm in azienda."

"Part-time, niente viaggi", negoziò Alan.

"Sì, Maestro," Susan gli rivolse un sorriso smagliante. "Grazie Maestro", si alzò, "Un momento, per favore, Maestro."

Andrew non aveva detto nulla mentre osservava Susan manovrare per ottenere ciò che voleva. Non fu affatto sorpreso quando un omone la seguì nell'ufficio di Alan e lei lo presentò come il suo nuovo assistente. Andrew si alzò per stringergli la mano e presentarsi prima di spostarsi per mettersi accanto a Susan, sussurrandole piano all'orecchio: "Ancora un'acrobazia del genere e se Alan non lo fa ti sculaccerò il tuo culetto sfacciato".

Susan arrossì quando Alan le rivolse di nuovo il suo volto affabile e sorridente dopo aver salutato Mark e lo trasformò in un'espressione accigliata. Controllando l'orologio fece un respiro profondo e aprì la bocca per parlare ma Alan alzò la mano ringhiando minacciosamente: "Stai molto attento a cosa dirai dopo, piccolo."

"So cosa gli è stato promesso al club e voglio essere sicura che siano state messe in atto alcune regole per prevenire qualsiasi uhm... situazione scomoda.." Susan si precipitò a prescindere e arrossì profondamente.

"Che genere di regole? Sei lì raramente tranne che per mangiare occasionalmente," chiese curiosamente Andrew, risparmiando ad Alan la fatica di ingoiare l'esplosione che sembrava sul punto di traboccare.

"Anche allora," si toccò la catena che porta al collo, esiste una gerarchia, io sono quello che sono lì, e ho bisogno di essere un po' diversa qui, ora, nel mio ufficio, con lui, "disse incerta per tutto il tempo. la spavalderia a cui si era aggrappata quella mattina era scomparsa sotto lo sguardo dei due Maestri che rispettava e a cui doveva obbedire.

Fu Mark a parlare però, vedendola appassire sotto il loro esame: "Avevo pensato che, se Gregory avesse accettato di farmi da mentore, sarebbe stato nella posizione migliore per suggerire alcune regole relative al tempo trascorso lì. Sono abbastanza serio nel mantenere la mia professionalità e lati personali abbastanza separati gli uni dagli altri."

"Sembra ragionevole," Alan, anche se ancora scontento del suo approccio, poteva ora vedere in quale posizione imbarazzante lui e Andrew avevano messo Susan. Quelle persone nell'azienda, che vivevano questo particolare stile di vita, avevano lavori che corrispondevano per la maggior parte alle loro posizioni. parte, e poteva vedere che ciò avrebbe potuto causare tensione nel rapporto di lavoro. Sapeva anche che le recenti minacce imitative contro il club e la compagnia non erano dirette specificatamente a Susan, ma non poteva comunque rischiare che le accadesse qualcos'altro. L'uomo che si era fidato di lui, che gli aveva fatto amicizia e gli aveva dato praticamente tutto ciò che aveva adesso, gli aveva affidato il suo bene più prezioso, Susan. Adesso sentiva un forte legame con lei e si sarebbe assicurato che avesse successo negli affari indipendentemente da dove l'avesse portata il suo attuale viaggio nello stile di vita.

"Vieni al club verso le sei, puoi unirti a noi per cena e ne possiamo discutere," disse Andrew mentre lavorava con la mente su ciò che era stato detto. A dire il vero, dopo aver perso prima Kitty e poi Robert, non gli importava quanto diventasse imbarazzante o scomodo per lei; sarebbe rimasta al sicuro finché lui fosse stato il suo tutore.

Guardando i due uomini che non sembravano felici con lei in quel momento, Susan desiderò di nuovo la libertà che aveva provato con Sire, fuori da questa gabbia che Robert aveva costruito per lei con la sua morte. Si morse il labbro mentre li guardava pensando alla sua libertà e credendo di avere qualcos'altro da dire. Alan si risedette.

"Vedo che c'è altro da negoziare," guardò Mark e poi di nuovo lei.

"Più che una domanda, a dire il vero," fece una pausa, "Incontrerò gli interior designer dopo pranzo, secondo il mio programma."

"Sì," disse Alan alzando lentamente un sopracciglio.

"Bene, con che budget devo giocare?" lei gli fece un piccolo sorriso e cercando di alleggerire l'atmosfera disse: "Vedi, ho gli occhi puntati su questa scrivania tempestata di diamanti..."

"Se non fosse per l'imbarazzo di avere Mark che ti guarda mentre vieni punito per essere un monello, saresti sulle mie ginocchia in questo momento," ringhiò Alan, con la rabbia che ribolliva sotto la sua calma apparenza.

"Oh, non preoccupatevi di me," Mark alzò le mani, "Se pensate che se lo meriti, chi sono io per discutere? Se si trattasse di chiunque altro oltre a voi due stimati signori, tuttavia, sentirei che era mio dovere intervenire, finché i suoi tutori ovviamente non fossero stati informati."

"Buon uomo," rise Andrew allentando la tensione. Si alzò e si avvicinò prendendo Susan in braccio e sedendosi con lei in grembo in modo protettivo. La baciò sulla fronte. "In qualche modo non penso che una scrivania tempestata di diamanti sia proprio il tuo stile."

"Oh, non lo so, potrei almeno provarci per una settimana o due," gli sorrise.

"Penso che il tempo passato con Sire ti abbia trasformato in un monello," ridacchiò, "Ricordi l'accordo che abbiamo fatto con Gregory prima che te ne andassi. Farà di più che semplicemente minacciarti, ti disciplinerà se ce n'è bisogno e dall'espressione sulla faccia di Alan potresti pattinare sul ghiaccio sottile."

"Sì, Maestro Andrew," disse tranquillamente, dopo che le era stato ricordato di accettare la disciplina di Gregory se qualcuno dei Maestri avesse ritenuto il suo comportamento inaccettabile.

Si udì bussare piano alla porta e Anne entrò e aspettò di essere riconosciuta. Alan annuì e lei parlò a bassa voce: "Rhys, David e Jeremy sono tutti qui, Maestro."

"Grazie, Anne. Porta Mark con te a qualunque cosa tu abbia pianificato con gli altri assistenti," disse Alan osservando il giovane che si alzò facilmente e lasciò la stanza. Aveva la tranquilla sicurezza di un uomo che si sentiva a suo agio e sicuro di sé in ogni situazione, per Alan questo la diceva lunga e il fatto che sembrasse sinceramente interessato al lato commerciale delle cose lo impressionava ancora di più.

Alan aveva praticamente memorizzato le biografie dei candidati che facevano parte delle short list. Era rimasto colpito dal fatto che Susan avesse scelto Mark. Come lui, Mark proveniva da un ambiente più adatto alle risse che agli affari, ma aveva lavorato duro per tirarsi fuori da quella situazione. Una volta che questo ragazzo avesse preso il ritmo giusto, pensò Alan, non ci sarebbe stato più modo di fermarlo e dopo averlo incontrato faccia a faccia, prese in considerazione l'idea di offrirsi di fargli da mentore lui stesso.

*****

Il pranzo era volato via mentre Susan incontrava gli altri dirigenti senior e delineava con passione le premesse di base del suo piano aziendale. Era d'accordo sul fatto che c'era molto lavoro da fare e che la strada tra avere un'idea e realizzarla era lunga, ma parlava con convinzione e assoluta certezza che credeva che non solo fosse possibile ma sarebbe stato redditizio.

Il pomeriggio era passato altrettanto velocemente mentre discuteva con i designer ed entrambi i suoi assistenti i suoi progetti per l'interno dell'ufficio e per l'anticamera dove si trovava la scrivania di Mark. Il suo spumeggiante entusiasmo, ancora traboccante dalla conversazione all'ora di pranzo che aveva con i dirigenti, era contagioso per tutti coloro che entravano nello spazio ufficio. Aveva aggiunto ai segnalibri la scrivania esatta che desiderava sul sito di mobili Jova e, sebbene non fosse disponibile, l'interior designer vincitore sapeva dove trovare un pezzo simile progettato su misura per loro.

È stata contattata un'artista e sembrava che tutto stesse andando a posto, quindi alla fine del suo primo giorno di ritorno in azienda era felice. Felice di essere lì, felice delle decisioni che aveva preso, felice anche di lasciare che la sua mente andasse a Robert e a cosa avrebbe potuto pensare di tutto quello che stava facendo. Lei sorrise quando Mark entrò: "Che giornata".

"Non è ancora finita, e se va bene, vorrei andarmene adesso così ho abbastanza tempo per andare a casa e cambiarmi prima di incontrare Andrew per cena stasera?" Mark si tirò la giacca.

"Accidenti, guarda che ore sono; mi dispiace così tanto, saresti potuto andare via secoli fa, sono stata presa dai piani e dai dettagli," farfugliò le sue scuse e lui la prese con forza per stringergli la mano.

"Ehi, va bene! Tu sei il capo, ricorda, e sono entusiasta quanto te di vedere tutto accadere da zero", ha detto. "Sono semplicemente felice di essere qui, quindi ci vediamo al club per cena e non preoccuparti, troveremo una soluzione." Se ne andò lasciandola ai suoi pensieri. Guardò il suo vestito e si chiese se dovesse cambiarsi anche lei per la cena. All'improvviso si sentì a disagio per il fatto che Mark la vedesse con alcuni dei capi più rivelatori del suo guardaroba, ma sapeva che avrebbe dovuto cambiarsi e rinfrescarsi.

Chiamò il numero che le era stato dato per Lincoln che accettò di incontrarla davanti all'edificio, afferrò la sua valigetta mettendoci dentro i file su cui aveva lavorato e aggiunse il suo androide. Uscì chiudendo le porte dell'ufficio, non che ci fosse ancora qualcosa di cui preoccuparsi, ma finalmente aveva il suo spazio e pianificarlo quel pomeriggio le aveva dato un senso di proprietà. Rimase in attesa dell'ascensore, pensando ancora ai suoi piani. Si sentiva più sicura di sé riguardo a chi era e cosa stava facendo di quanto non lo fosse mai stata in vita sua. Non le era mai venuto in mente che fosse vero perché stava finalmente prendendo decisioni per se stessa, soprattutto perché c'erano così tante persone intorno a lei che influenzavano le decisioni che prendeva.

"Oh, bene, non sei ancora partito," Anne irruppe nei suoi pensieri apparendo nel piccolo spazio dove Susan aspettava. "Maestro, vorrei vederti, prima che tu parta." Anne sembrava agitata e, afferrandole la mano, quasi corse alla scrivania per far sapere ad Alan che Susan era lì e aspettava di vederlo.

"Vai dentro", disse a bassa voce, "non incontrando del tutto gli occhi di Susan che la facevano preoccupare e iniziò a mordersi il labbro mentre apriva la porta ed entrava nell'ufficio di Alan. Era in piedi, appoggiato allo schienale della scrivania, con le braccia conserte.

"Ecco," indicò un punto sul tappeto a circa due metri da lui, "In ginocchio." La sua voce non era aspra ma era mortalmente seria.

"Oggi mi è servito per dimostrarmi due cose, piccolo," cominciò Alan mentre lei si inginocchiava davanti a lui. "Il primo è che sei una giovane donna intelligente, capace e altrettanto dura come Robert ha sempre detto che fossi." Fece una breve pausa osservandola mordersi il labbro con un'espressione preoccupata. "La seconda è che sei stato troppo indulgente per troppo tempo. Robert è stato il mio idolo, in un certo senso, per molti anni. Avevamo le nostre differenze, è vero, ma ho sempre rispettato la sua passione e il suo acuto senso di cosa significasse sii il migliore e pretendi il meglio da tutti coloro che gli sono più vicini."

Fece un passo verso di lei: "Cosa pensi che avrebbe pensato del tuo sotterfugio oggi? Non ho mai detto che Cassandra non avrebbe potuto lavorare part-time. Infatti, l'ho detto proprio stamattina; che sarebbe rimasta per aiutarti, ma non come tua assistente personale a tempo pieno." La sua voce era diventata burbera mostrando la sua rabbia e delusione. Era soddisfatto dal rossore che si insinuava sulle sue guance e dall'espressione di delusione sul suo viso.

"Eppure sei comunque venuta qui e hai cercato di ottenere ciò che vuoi essendo carina e dolce, quando non era altro che un sotterfugio progettato per ottenere ciò che vuoi," la fissò intensamente. "La Susan che conosco e, cosa più importante, la ragazza che Robert amava e cominciò ad allenarsi, non sarebbe mai stata così mocciosa. Chiedi quello che vuoi; ti dirò se puoi averlo." La sua voce si era alzata con rabbia: "Non negozierò con te, né sopporterò un'altra bravata monello come oggi. Sono stato chiaro?"

"Sì, Maestro," disse Susan con gli occhi spalancati vedendo questo lato diverso di Alan. "Mi dispiace tanto, Maestro, hai ragione." Non si prese la briga di cercare di spiegare il suo comportamento, sapeva che aveva ragione, e a Robert non sarebbe piaciuto il modo in cui faceva per ottenere ciò che voleva.

"Io sono l'amministratore delegato qui; anche Rhys mi fa la cortesia di gestire i suoi piani tramite me, e confido che gestisca il suo dipartimento in modo autonomo," emise un lungo respiro sibilante. "Il tuo piano ha dei meriti e vorrei aiutarti a realizzarlo, ma sappi che se oltrepassi il limite ancora una volta e dimentichi chi sono qui, tutto ciò potrà essere portato via e verrà portato via." Scosse la testa deluso, "Conoscevo Robert e quello che voleva per te, cioè non essere una piccola troia monella, usare la sua sottomissione, o la sua bellezza come arma per ottenere ciò che vuole e tu aiuterai qualcuno che scelgo di fare." prendi il controllo. Sei una giovane donna bella e forte. La tua sottomissione è un dono, non una moneta di baratto da usare come mezzo per raggiungere un fine. Se vuoi indulgenza, vai da Andrew, sembra apprezzare la tua nuova monellazza, ma la ragazza che conosco e amo, la ragazza che ha catturato il cuore di Robert e ha cambiato tutti i nostri mondi qui, non si comporterebbe mai così."

Alan aveva quasi ceduto nel rimproverarla mentre le lacrime arrivavano e le scorrevano lentamente lungo il viso. "Ricorda chi sei veramente e chi dovevi essere", disse in tono più dolce. Camminò verso di lei , si chinò e la sollevò in piedi davanti a lui. Fece passare una mano attorno alla catena che le circondava il collo: "Non sei una ragazza qualunque. Sei speciale e importante per molte persone. Non sei solo una stagista qui; sei una partner e un dirigente nella tua stessa azienda." giusto. Devi trovare un equilibrio e essere all'altezza delle aspettative di Robert, perché, tra tutti noi, lui conosceva meglio il tuo vero potenziale e ti ha dato questa opportunità di brillare.

L'ha avvolta tra le sue braccia. "Ho chiesto ad Andrew di rinunciare alla tua formazione nel settore, e anche se ho delle preoccupazioni mi allontanerò dal tuo bisogno di esplorare questo stile di vita e le sue diverse sfaccettature. So chi sei," la allontanò dal suo corpo e la guardò negli occhi, "e quello non è uno dei marmocchi di James o di Sire. Quindi lasciamocelo alle spalle." La baciò sulla fronte. "Se vuoi qualcosa, vieni da me con una proposta ben ponderata. Mostrami i progetti e i costi per gli interni di questo ufficio che stai progettando e accetterò il budget, ma non ti darò semplicemente un budget indeterminato, per giocare con come lo dici in modo così eloquente."

"Sì, Maestro", disse Susan con voce tremante.

"Bene," Alan la guardò, "non voglio farti fare tardi per la cena che hai programmato per stasera, quindi puoi andare, ma..." lasciò che un piccolo sorriso gli attraversasse il volto mentre pronunciava la sua, sperava, una svolta sorprendente, come aveva fatto prima. "... secondo il tuo accordo di formazione con i Maestri che si prendono cura di te, Gregory ti disciplinerà per il tuo comportamento inappropriato oggi." Susan sussultò guardandolo negli occhi per vedere se stesse scherzando, ma non c'era alcuna bugia nei suoi occhi.

"È stato informato, e poiché Robert era suo amico e mentore," il sorriso di Alan si allargò e cominciò ad accompagnarla verso la porta del suo ufficio, "Anche lui era molto deluso dal tuo comportamento."

"Oh no," Susan abbassò la testa e sentì un brivido di aspettativa correrle lungo la schiena.

"Ci vediamo domattina, piccola. Voglio che tu venga da me ogni giorno quando partirai da ora in poi," disse Alan mentre entrava nell'anticamera. "Vieni dentro, Anne, per favore." disse Alan, e Anne balzò in piedi e chiuse la porta dietro di sé, lasciando Susan solo con i suoi pensieri mentre si dirigeva lentamente verso gli ascensori. Alan non aveva intenzione di dare a Susan una spalla su cui piangere, aveva bisogno che lei riflettesse su quello che aveva appena detto.

"A cosa stava pensando?" si rimproverò. Alan era l'amministratore delegato, il capo, ovviamente lei doveva fare le cose a modo suo; era stata una mocciosa, e ora Gregory lo sapeva. Gregory, con tutta la sua cavalleria e il suo senso di giustizia, li aveva delusi entrambi e, peggio di tutto, ora che era stato chiarito, era rimasta delusa da se stessa. Ha ammesso che tutto ciò che Alan aveva detto era vero. Robert non le avrebbe mai permesso di essere una monello in alcun modo o forma. Sbatté rapidamente le palpebre, ricacciando indietro le lacrime dagli occhi mentre attraversava l'atrio e si dirigeva verso l'auto in attesa.

Lincoln sorrise aprendole la porta e mormorò: "Tutto bene, signorina Biancotti?"

"Per favore chiamami Susan, io... sto bene," fece un mezzo sorriso e scomparve in macchina.

*****

Inosservato, un uomo alto aveva osservato Susan uscire dall'edificio. Notò lo sguardo angosciato sul suo viso, come se avesse pianto. Salì in sella alla sua moto, si infilò nel traffico seguendo l'auto nera che la trasportava, dopo averli visti scomparire nel parcheggio sotto il locale, si allontanò rombando. Gli bastava sapere che era tornata e sapere dove trovarla. Per adesso...

*****

Susan era inginocchiata su un cuscino nello studio del direttore, con gli occhi fissi sul pavimento. Avrebbe dovuto discuterne, andare da Alan con un piano, rendersi conto che in lui c'era di più oltre allo stupido uomo furbo che una volta aveva flirtato con sua madre. Era l'amministratore delegato di una delle aziende più ricche del paese e lei lo aveva trattato con mancanza di rispetto, pensando di essere stata così intelligente con quella bravata che aveva fatto per tenere Cassandra vicina. La sua mente oscillava tra la felicità per il fatto che Cassandra sarebbe rimasta e la tristezza per il modo in cui Alan, il suo amico e tutore, l'aveva guardata con tale disappunto.

Gregory si sedette su una sedia direttamente di fronte a Susan godendosi il momento. Dopo le relazioni pericolose, lei l'aveva incoraggiata mentre, nella casa al mare, lui si era preoccupato che gli altri Maestri avessero assecondato eccessivamente i suoi capricci. Era stato felice quando lei aveva mostrato una certa responsabilità per la propria vita finché non aveva trovato un altro che avrebbe apprezzato la sua sottomissione ed era ancora più felice che sarebbe stato lui a garantire la sua sicurezza. Il suo ritorno con questo tipo di atteggiamento, però, non era stato previsto, e lui intendeva assicurarsi che lei sapesse che era estremamente indesiderabile.

A differenza degli altri amici di Robert, lui non aveva alcun residuo sentimento di indulgenza verso il suo dolore. Era venuta da loro con il suo piano per andare avanti e si era mostrata pronta a farlo. Non aveva dubbi che Robert e le lezioni che le aveva insegnato sarebbero rimasti con lei per sempre, ma se avesse mai voluto ritrovare il suo posto, era giunto il momento di andare avanti ed esplorare le possibilità che la circondavano. Mantenne l'espressione delusa sul viso mentre si rivolgeva a lei.

"Qual è il prossimo passo? Inizierai ad avere i capricci se i Maestri non ti daranno la tua strada?" Disse con voce dura. "Buttarti a terra e scalciare?"

"No, Sir Gregory," disse dolcemente, azzardando uno sguardo verso di lui per mostrare la sincerità che sperava brillasse nei suoi occhi. "Io semplicemente..." si trattenne dal trovare delle scuse.

"Tu cosa?" ringhiò Gregory. "Hai deciso di far morire Cassandra prematuramente? Hai deciso di ignorare il fatto che Alan aveva detto che sarebbe stata lì per aiutarti, ma avevi bisogno di un altro assistente a causa di tutto il viaggio? Ti è venuto in mente che non riguardava te, ma piuttosto qualcosa che Cassandra ha richiesto?" Gregory sapeva che Cassandra non voleva viaggiare e odiava gli aerei; sapeva che Alan le aveva chiesto di restare per fare un favore a Susan. Era arrabbiato perché la ragazza ai suoi piedi non aveva nemmeno preso in considerazione queste cose ma piuttosto aveva manipolato le persone che tenevano a lei per ottenere ciò che voleva.

"Cassandra non ti negherebbe mai quello che hai chiesto in questo momento," disse alla sua espressione sorpresa e confusa. "Sei viziato dalle stesse persone che ti amano e questo, piccolo, ti ha trasformato in un monello egoista ed egocentrico," scosse la testa.

"Semplicemente non l'ho fatto... voglio dire..." deglutì trattenendo le lacrime, "Mi dispiace davvero tanto, Sir Gregory. Hai ragione. Mi stavo comportando in modo terribile con le persone che si prendono cura di me." Era terribile che Cassandra non avesse sentito di poterle dire direttamente come si sentiva e che non l'avesse ascoltata quando aveva detto più volte che era molto più felice lavorando part-time. La bella giornata era passata di male in peggio e ora si sentiva solo in colpa.

Gregory non disse altro; lui si chinò e la prese in braccio mettendosela in grembo. Susan non resistette; abbassò la testa sulle sue gambe e accettò la sculacciata che stava per ricevere. Gregory si prese il tempo per apprezzare la pelle morbida del sedere perfettamente arrotondato che si presentò mentre le sollevava la gonna. La sua mano scese con un colpo pesante, e il suono del suo palmo che colpiva la carne echeggiò musicalmente nella stanza.

Perdendosi nei suoni piacevoli della sua mano che le colpiva la carne e dei suoi sussulti, piagnucolii e grida ansimanti in risposta, la sculacciò finché entrambi persero il conto, e il suo cazzo indurito non poté più essere frenato dalla pura forza di volontà. Accarezzò la carne gonfia e rossa sentendone il calore emanare prima di farle scivolare una mano tra le gambe sentendone l'umidità e ascoltando i suoi gemiti di bisogno.

Susan si dimenò, il calore della sculacciata aveva viaggiato dentro di lei ed era passato da tempo oltre il punto del dolore nel calore interiore alimentando il suo bisogno di essere trattata proprio in questo modo. Ruotò i fianchi mentre lui le accarezzava il culo caldo e pungente e gemette di piacere mentre la sua mano le affondava tra le gambe. Lei allargò volentieri le cosce alle sue dolci carezze e il suo respiro tornò ad accelerare.

Sentendo lui stesso all'improvviso la punizione, la riprese in braccio, portandola in un angolo della stanza e piazzandola di fronte alla congiunzione di due muri. "Affrontati al muro, non fare altro rumore o ti imbavaglio. Questa è una punizione, piccolo moccioso, e non il momento di saziare il tuo bisogno." Lui ringhiò e la lasciò lì inginocchiata mentre tornava alla scrivania.

Susan avrebbe potuto piangere di nuovo e implorarlo di usarla, tanto grande era il suo bisogno in quel momento, ma non emise alcun suono sbattendo le palpebre con le lacrime agli occhi. Rimase inginocchiata a lungo mentre la gente entrava e usciva dall'ufficio, alcune voci le conosceva, altre no. La sua umiliazione era in conflitto con il fatto che sapeva di meritare di essere punita.

Quando finalmente sentì le mani di Gregorys che la tiravano su, le ginocchia erano più che dolorose e le cosce quasi insensibili per lo sforzo di restare in quella posizione invece di sedersi sui talloni. Non si lamentò mentre lui le puliva il viso e camminava con molta attenzione accanto a lui mentre la guidava fuori dal suo ufficio verso la sala da pranzo, e un tavolo popolato da persone che contava come amiche.

"Mi dispiace tanto se ti ho trattenuto," disse Susan tranquillamente guardandosi intorno al tavolo. Andrew e Barry la guardarono sorridendo aggiungendo che non avevano fretta, la cucina era sempre aperta fino a tardi. Mark, d'altro canto, sembrava perplesso di fronte alla differenza tra la giovane donna vivace che aveva lasciato al lavoro quella sera e la giovane donna riservata e tranquilla che si era unita al suo tavolo per la cena.

Gregory si unì a loro e due graziose cameriere portarono loro l'antipasto direttamente dalla cucina. Sembrava che Barry osservasse Susan mentre assaggiava i piccoli pacchetti incartati e vedeva lo stupore attraversarle il viso facendole un sorriso. Lei lo guardò e lui le fece l'occhiolino facendola ridere piano e ricordandole la notte in cui era andato a trovarla alla taverna Kava.

"Sono fantastici; non posso credere che Anna ti abbia dato la ricetta," mormorò Susan con la bocca ancora incerta su come rivolgersi a Barry, non sembrava rigido e formale come Sir Steven eppure non lo vedeva come un Anche il Maestro si chiedeva per quanto tempo avrebbe potuto resistere senza chiamarlo per nome prima che qualcuno se ne accorgesse.

Mentre il pasto proseguiva, Susan condivideva alcune delle storie che aveva sulla visita di meraviglie naturali appartate e sperava di poter vedere alcune delle foto che Sire aveva scattato lì. Gregory e Mark hanno scoperto di avere un interesse comune per la storia medievale e hanno discusso di alcuni eventi del calendario locale, come il festival della chiesa dell'abbazia. Barry se ne andò per occuparsi di qualche piccola crisi in cucina e Andrew allungò la mano per prendere la mano di Susan.

"Sembri stanca, piccola," le sorrise, il suo affetto era chiaro nella sua voce e nel suo tocco.

"È stato un grande giorno; ho molto da imparare e molto da fare", ricambiò il suo sorriso, "e grandi scuse da porgere domani." Si rese conto che Gregory e Mark avevano smesso di parlare e si voltarono verso di lei. "Devo fare molto di quel lavoro stasera prima della riunione di domani, quindi se per voi signori è lo stesso, vi andrebbe bene se andassi di sopra adesso?"

"Naturalmente", ha detto Andrew.

Susan esitò: "Io umm... mi chiedevo se qualcuno potesse accompagnarmi agli ascensori." Deglutì: "Mi sento un po' vulnerabile camminando per questo posto da sola, nonostante questo." Toccò la pesante catena d'oro che portava al collo. Dato che viveva nello stesso edificio, aveva la chiave degli ascensori, ma si sentiva ancora a disagio nel passeggiare da sola la sera. Quella sera si era fermata alla reception mentre scendeva e aveva chiamato in modo che Gregory potesse incontrarla agli ascensori.

"Vi accompagnerò," si offrì Mark, "Il mio nuovo capo è una donna, ed è meglio che mi riposi prima che lei si renda conto che assumermi per il mio bell'aspetto da ragazzo non è stata una buona idea." Lui le fece l'occhiolino e ridacchiò.

"Ce ne sono parecchi che vanno e vengono a quest'ora della notte," disse Gregory comprendendo, "ti accompagno al tuo appartamento."

"Vieni a fare colazione con me domani, piccola," Andrew le baciò la fronte mentre si alzava anche lui.

"Certo, Maestro," gli sorrise. Lui era un'ancora nel suo mondo in quel momento, e lei ne aveva bisogno più di quanto avesse realizzato e impulsivamente, insolitamente lo abbracciò. "Grazie di tutto," sbottò e si voltò allontanandosi con Gregory e Mark. Mentre attraversavano il bar del salone, Gregory allungò una mano e le avvolse una mano intorno alla nuca come faceva Robert qui in questo posto. Incapace di trattenersi, sussultò e tremò come se il suo fantasma fosse stato lì, spaventando Gregory, che la guardò dall'alto in basso con preoccupazione.

Mark scese al piano terra e li salutò, mentre Gregory e Susan salirono in silenzio i livelli aggiunti al suo appartamento. Uscendo con lei e aprendole la porta, Gregory disse piano: "C'era qualcosa che non andava quando siamo partiti, è stato qualcosa che ha fatto qualcuno?"

"Era solo... voglio dire Robert sempre... o era solito avvolgermi sempre la mano dietro il collo in quel modo quando eravamo giù al club," disse piano. Per quanto riguardava Gregory, l'onestà era l'unica risposta alle sue domande, non avrebbe permesso che lei lo facesse passare per un semplice brivido.

"Ti abituerai," annuì. "Dormi bene piccolo, non restare sveglio fino a tardi a lavorare."

"Sì, Sir Gregory," disse sorpresa dalla sua risposta. Forse lui e Alan avevano ragione. Forse era diventata viziata. Si era aspettata una sorta di scusa piuttosto che l'affermazione che si sarebbe abituata.

Entrò nella sua stanza e si spogliò prima di sistemarsi sul letto con la valigetta per rileggere la proposta d'affari modificata, prima di andare a dormire. Con la mente ancora piena della sensazione delle mani di Gregory su di lei, infilò la mano tra le gambe.

FINE

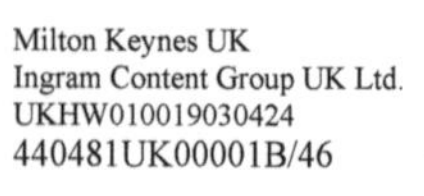

Milton Keynes UK
Ingram Content Group UK Ltd.
UKHW010019030424
440481UK00001B/46